21ST CENTURY ROCK

EXCLUSIVE DISTRIBUTORS:
MUSIC SALES LIMITED
8/9 FRITH STREET, LONDON W1D 3JB,
ENGLAND.
MUSIC SALES PTY LIMITED
120 ROTHSCHILD AVENUE, ROSEBERY,
NSW 2018, AUSTRALIA.

ORDER NO. AM975920
ISBN 0-7119-9743-8
THIS BOOK © COPYRIGHT 2003
BY WISE PUBLICATIONS.

COMPILED BY NICK CRISPIN.
MUSIC ARRANGED BY JONNY LATTIMER.
MUSIC PROCESSED BY ANDREW SHIELS.

COVER DESIGN BY FRESH LEMON.
PRINTED IN THE UNITED KINGDOM BY
CALIGRAVING LIMITED, THETFORD, NORFOLK.

WISE PUBLICATIONS
LONDON / NEW YORK / PARIS / SYDNEY / COPENHAGEN / BERLIN / MADRID / TOKYO

AERIALS

WORDS & MUSIC BY DARON MALAKIAN, SERJ TANKIAN, SHAVO ODADJIAN, JOHN DOLMAYAN

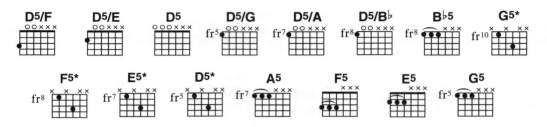

Tune guitar (drop D tuning down a tone)

⑥ = **C**   ③ = **F**
⑤ = **G**   ② = **A**
④ = **C**   ① = **D**

Intro
| D5/F D5/E D5 | D5 | | D5/G D5/F D5/E | D5/E | | D5/F D5/G D5/A |

| D5/B♭ D5/A D5/G | D5/F D5/E D5 | D5 | | D5 | | D5 |

| D5 | | D5 | | D5 | | D5 | | D5 | |

| D5 | |

Verse 1

B♭5
Life is a waterfall,

We're one in the river,
                              D5   G5* | D5   F5* | D5   E5* | D5   D5* |
And one again after the fall.
B♭5
Swimming through the void,

We hear the word, we lose ourselves,
                              D5   G5* | D5   F5* | D5   E5* | D5   D5* |
But we find it all.

       B♭5
'Cause we are the ones that wanna play,

Always want to go,
                              D5   G5* | D5   F5* | D5   E5* | D5   D5* |
But you never wanna stay.

cont.

B♭5
And we are the ones that wanna choose,

Always wanna play,

But you never wanna lose.

Interlude | **D5/F D5/E** | **D5** | **D5/G D5/F** | **D5/E** | |

| **D5/F D5/G D5/A** | **D5/B♭ D5/A D5/G** | **D5/F D5/E** | **D5** | |

Chorus 1

D5/F   D5/E   D5   D5/G D5/F   D5/E
Aer - i - als, in   the   sky,
D5/F   D5/G D5/A   D5/B♭ D5/A
When you   lose   small mind,
D5/G D5/F   D5/E D5
You   free   your life.

Verse 2

B♭5
Life is a waterfall,

We drink from the river,

　　　　　　　　　　　　　　　　D5   G5* | **D5   F5*** | **D5   E5*** | **D5   D5***
Then we turn around and put up our walls.
B♭5
Swimming through the void,

We hear the word,

We lose ourselves,
　　　　　　　　　D5   G5* | **D5   F5*** | **D5   E5*** | **D5   D5***
But we find it all.
　　　B♭5
'Cause we are the ones that wanna play,

Always wanna go,
　　　　　　　　　D5   G5* | **D5   F5*** | **D5   E5*** | **D5   D5***
But you never wanna stay.
　　　B♭5
And we are the ones that wanna choose,

Always wanna play,
　　　　　　　　　　　A5
But you never wanna lose, oh! _____

Interlude | F5 E5 D5 | D5 | G5 F5 E5 | E5 |

| F5 G5 A5 | B♭5 A5 G5 | F5 E5 D5 | D5 |

Chorus 2

F5   E5 D5 G5 F5 E5
Aer - i - als, in the sky,

F5   G5 A5 B♭5 A5
When you lose small mind,

G5 F5 E5 D5
You free your life.

F5   E5 D5 G5 F5 E5
Aer - i - als, so up high,

F5   G5 A5 B♭5 A5 G5 F5 E5 D5
When you free your eyes e - ter - nal prize.

Chorus 3

‖: D5/F D5/E D5 D5/G D5/F D5/E
Aer - i - als, in   the   sky,

D5/F D5/G D5/A D/B♭ D5/A
When you   lose small mind,

D5/G D5/F D5/E D5
You free your life.

D5/F D5/E D5 D5/G D5/F D5/E
Aer - i - als, so   up   high,

D5/F D5/G D5/A D5/B♭ D5/A D5/G D5/F D5/E D5
When you free your eyes e - ter - nal prize. :‖

Outro ‖: D5/F D5/E D5 | D5 | D5/G D5/F D5/E | D5/E |

| D5/F D5/G D5/A | D5/B♭ D5/A D5/G | D5/F D5/E D5 | D5   :‖

4

A.K.A. I.D.I.O.T.

WORDS & MUSIC BY RANDY FITZSIMMONS

D5   E5   G5   C5   C5/G   B5   G5   A5

Intro | D5   E5 |: E5 | E5   D5   E5 | E5 | E5   D5   E5 :| *x3*

Verse 1

    D5 E5
       You laugh at me
    D5   **G5**
      And call me I.D.I.O.T.
    D5 C5
       You laugh and turn your back
          C5/G   **C5**   **B5**
  'Cause I'm not like you're supposed to be,
    D5 E5
       But it's not a question.
    D5 G5
       A question of a low I.Q.
    D5   **C5**   **C5/G**   **C5**   **B5**
      'Cause if it was, well then the answer wouldn't be me or you.

Chorus 1

    E5   **D5**
    A.K.A. I.D.I.O.T.

                              G5
    Don't know the hell I'm supposed to be

    I.D.I.O.T.
    C5 **B5**   **E5**
    (A.K.A. I.D.I.O.T.)
               D5
    A.K.A. I.D.I.O.T.

    Yeah, that's me.
    A5
      I.D.I.O.T.
    G5   **E5**
    (A.K.A. I.D.I.O.T.)

Link 1 |E⁵ |E⁵ |E⁵ D⁵ E⁵ |E⁵ |E⁵ D⁵ E⁵ |

|E⁵ |E⁵ D⁵ E⁵ |E⁵ |E⁵ D⁵ E⁵ ‖

E⁵

Verse 2 Put up with being laughed at

D⁵   G⁵
   'Cause I put up with being me.

D⁵   C⁵
And then an artificial someone says

     C⁵/G C⁵   B⁵
I'm the I.D. I. O. T.

D⁵ E⁵
    I got motivation.

D⁵   G⁵
  Yeah, I pretty much have it all.

D⁵   C⁵
  To make your artificial nation.

C⁵/G   C⁵   B⁵
  Stumble and fall.

E⁵   D⁵

Chorus 2 A.K.A. I.D.I.O.T.

                             G⁵
Don't know the hell I'm supposed to be

I.D.I.O.T.

 C⁵ B⁵   E⁵
(A.K.A. I.D.I.O.T.)

                 D⁵
A.K.A. I.D.I.O.T.

Yeah, that's me.

A⁵
  I.D.I.O.T.

 G⁵   E⁵
(A.K.A. I.D.I.O.T.)

Link 2 |E⁵ |E⁵ D⁵ E⁵ ‖

Verse 3

N.C.
I know I'm a screw-up.

I know I'm in a band.

I know that I am up against a mighty, mighty man.

But I'm satisfied with being, being one of the lucky few

Who'll be the ones laughing
               G5   **C5 B5**
Knowing that the joke is gonna be on you.
E5
  (A.K.A. I.D.I.O.T. . . .)

Chorus 3

E5   **D5**
A.K.A. I.D.I.O.T.
                                 G5
Don't know the hell I'm supposed to be

I.D.I.O.T.
 C5   **B5**   **E5**
(A.K.A. I.D.I.O.T.)
                   D5
A.K.A. I.D.I.O.T.

Yeah, that's me.
A5
  I.D.I.O.T.
 G5   **E5**   **D5**   **E5**
(A.K.A. I.D.I.O.T.)

ANOTHER MORNING STONER

WORDS & MUSIC BY KEVIN ALLEN, NEIL BUSCH, CONRAD KEELY & JASON REECE

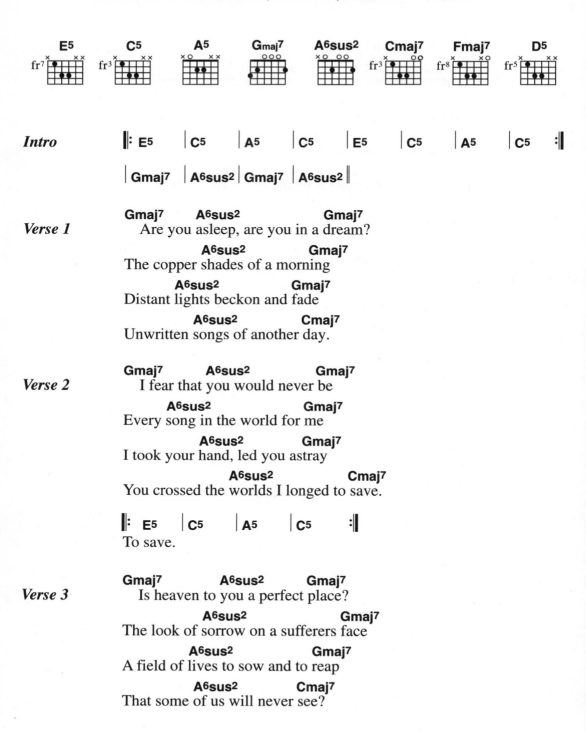

E5   **C5**   **A5**   **Gmaj7**   **A6sus2**   **Cmaj7**   **Fmaj7**   **D5**

Intro

‖: E5 | C5 | A5 | C5 | E5 | C5 | A5 | C5 :‖

| Gmaj7 | A6sus2 | Gmaj7 | A6sus2 ‖

Verse 1

    Gmaj7   **A6sus2**   **Gmaj7**
Are you asleep, are you in a dream?
          A6sus2   **Gmaj7**
The copper shades of a morning
       A6sus2   **Gmaj7**
Distant lights beckon and fade
       A6sus2   **Cmaj7**
Unwritten songs of another day.

Verse 2

    Gmaj7   **A6sus2**   **Gmaj7**
I fear that you would never be
      A6sus2   **Gmaj7**
Every song in the world for me
       A6sus2   **Gmaj7**
I took your hand, led you astray
        A6sus2   **Cmaj7**
You crossed the worlds I longed to save.

‖: E5 | C5 | A5 | C5 :‖
To save.

Verse 3

    Gmaj7   **A6sus2**   **Gmaj7**
Is heaven to you a perfect place?
      A6sus2   **Gmaj7**
The look of sorrow on a sufferers face
      A6sus2   **Gmaj7**
A field of lives to sow and to reap
      A6sus2   **Cmaj7**
That some of us will never see?

Verse 4

    Gmaj7   **A6sus2**   **Gmaj7**
Why is it I don't feel the same?

      A6sus2   **Gmaj7**
Are my longings to be blamed

        A6sus2   **Gmaj7**
For not seeing heaven like you would see

     A6sus2   **Cmaj7**
Why is a song the world for me?

‖: **E5** | **C5** | **A5** | **C5** :‖
For me.

Instrumental ‖: **Cmaj7** | **Cmaj7** | **Cmaj7** | **Cmaj7** | **A5** | **A5** | **A5** | **A5** :‖

| **Cmaj7** | **Cmaj7** | **Cmaj7** | **Cmaj7** | **Fmaj7** | **Fmaj7** | **Fmaj7** | **Fmaj7** ‖

| **D5** | **D5** | **D5** | **D5** ‖

‖: **E5** | **C5** | **A5** | **C5** :‖

Outro

 Gmaj7   **A6sus2**
‖: What is forgiveness?

    Gmaj7
It's just a dream

       A6sus2
What is forgiveness?

    Gmaj7   *x4*
It's everything. :‖

    Cmaj7
It's everything.

ATTITUDE

WORDS & MUSIC BY DRYDEN MITCHELL, TERENCE CORSO, TYE ZAMORA & MIKE COSGROVE

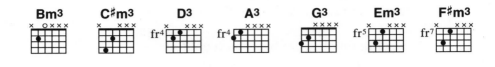

Verse 1

Bm3   C#m3   D3
Maybe I act on confused behaviour
A3   G3   A3
Maybe waves crash like semi-trailer
Bm3   C#m3   D3
Maybe I'll spend my off-time without you
A3   Em3   F#m3
It seems like we need our own space.

Verse 2

Bm3   C#m3   D3
And all the time I'm wasted away
A3   G3   A3
To not feel good unless you stay, stay, stay
Bm3   C#m3   D3
And all this time I chased you away
A3   Em3   F#m3
Simply to catch back up with.

Chorus 1

Bm3   C#m3   D3
Your solitude is welcome welcome
A3   G3   A3
Your attitude is welcome welcome
Bm3   C#m3   D3
Your solitude is welcome welcome
A3   Em3   F#m3
Your attitude is welcome.

Verse 3

Bm3   C#m3 D3
All you see is red lights behind me
A3   G3   A3
Maybe this isn't what you wanted, baby
Bm3   C#m3   D3
I don't blame you falling backwards
A3   Em3   F#m3
No one's ever quite confused you this way.

Verse 4

Bm³   C#m³   D³
And all this time I'm wasted away

A³   G³   A³
We don't feel good unless we're grey, grey

Bm³   C#m³   D³
And all the times I chased you away

A³   Em³   F#m³
I simply don't feel good.

Chorus 2   As Chorus 1

Bm³ C#m³   D³
You are   welcome

A³   G³
You are welcome

Bm³ C#m³   D³
You are   welcome

A³   Em³   F#m³
You are welcome.

          N.C.

Verse 5   All this time, we heard alarms

Come to find, we fell apart

This whole thing has crashed down, crashed down

All this time, we heard alarms.

Chorus 3   As Chorus 1

       Bm³ C#m³   D³

Outro   𝄆 You are   welcome

A³   G³
You are welcome

Bm³ C#m³   D³
You are   welcome

A³   Em³   F#m³
You are welcome.   𝄇 Bm³

CLEANIN' OUT MY CLOSET

WORDS & MUSIC BY MARSHALL MATHERS & JEFFREY BASS

Am   Bm7♭5   F5   E5   E7

Intro

Riff 1							end Riff 1
Am	Bm7♭5	Am	Bm7♭5	F5	E5	Am	N.C. E7 ‖x

Verse 1

Riff1

Have you ever been hated or discriminated against?

I have, I've been protested and demonstrated against.

Picket signs for my wicked rhymes.

Look at the times.

Riff1

Sick is the mind of the motha fuckin' kid that's behind all this commotion.

Emotions run deep as ocean's explodin'.

Tempers flaring from parents, just blow 'em off and keep goin'.

Not takin' nothin' from no one, give 'em hell long as I'm breathin'.

Keep kickin' ass in the mornin', an' takin' names in the evening.

Riff1

Leave 'em with a taste as sour as vinegar in they mouth.

See, they can trigger me but they never figure me out.

Look at me now, I bet ya probably sick of me now.

Ain't you mama, I'm-a make you look so ridiculous now.

Chorus 1

        Riff1
I'm sorry, Mama, I never meant to hurt you.
        (F5)
I never meant to make you cry,
        (E5)   **(A5) (E7)**
But tonight I'm cleanin' out my closet.
        Riff1
I'm sorry, Mama, I never meant to hurt you.
        (F5)
I never meant to make you cry,
        (E5)   **(A5) (E7)**
But tonight I'm cleanin' out my closet.

Verse 2

        Riff1
I got some skeletons in my closet and I don't know if no one knows it.

So before they thrown me inside my coffin and close it,

I'm-a expose it.

I'll take you back to '73 before I ever had a multi-platinum sellin' CD
        Riff1
I was a baby, maybe I was just a couple of months.

My faggot father must have had his panties up in a bunch

Cuz he split. I wonder if he kissed me goodbye.

No, I don't on second thought, I just fuckin' wished he would die.
        Riff1
I look at Hailie, and I couldn't picture leavin' her side.

Even if I hated Kim, I grit my teeth and I'd try

To make it work with her at least for Hailie's sake.

I maybe, made some mistakes but I'm only human.

But I'm man enough to face them today.
Riff1
  What I did was stupid, no doubt it was dumb,

But the smartest shit I did was take them bullets out of that gun.

Cuz I'd-a killed 'em, shit I was have shot Kim an' him both.

It's my life, I'd like to welcome y'all to The Eminem Show.

Chorus 2   As Chorus 1

Verse 3
                       Riff1
Now I would never dis my own Mama just to get recognition

Take a second to listen for you think this record is dissin'

But put yourself in my position.

Just try to envision witnessin' your Mama

Poppin' prescription pills in the kitchen,
              Riff1
Bitchin' that someone's always goin' through her purse and shit's missin'

Going through housing systems, victim of Munchausen's syndrome.

My whole life I was made to believe I was sick when I wasn't

'Til I grew up, now I blew up.

It makes you sick to your stomach doesn't it?
Riff1
Wasn't it the reason you made that CD for me Ma?

So you could try to justify the way you treated me Ma?

But guess what? Yer getting older now and it's cold when you're lonely.

An' Nathan's growin' up so quickly, he's gonna know that you're phoney.
            Riff1
And Hailie's getting so big now, you should see her she's beautiful.

But you'll never see her, she won't even be at your funeral.

See what hurts me the most is you won't admit you was wrong.

Bitch, do ya song. Keep tellin' yourself that you was a mom.
           Riff1
But how dare you try to take what you didn't help me to get.

You selfish bitch, I hope you fuckin' burn in hell for this shit.

Remember when Ronnie died and you said you wished it was me?

Well, guess what, I am dead. Dead as you can be.

14

Chorus 3

                         Riff1

I'm sorry, Mama, I never meant to hurt you.

                (F5)

I never meant to make you cry,

           (E5)   **(A5)** **(E7)**

But tonight I'm cleanin' out my closet.

                         Riff1

I'm sorry, Mama, I never meant to hurt you.

                (F5)

I never meant to make you cry,

           (E5)   **(A5)**

But tonight I'm cleanin' out my closet.

Outro   *Repeat Riff 1 to fade*

COME BACK AROUND

WORDS & MUSIC BY GRANT NICHOLAS

Dsus2 Dsus2/G Fsus2/B♭ Csus2/F Csus2 B♭sus2 B♭sus2/E♭

D5 F5 F#5 G5 C5 D5* B♭5

Tune guitar.

⑥ = D   ③ = G
⑤ = A   ② = B
④ = D   ① = E

Intro | Dsus2 | Dsus2 | Dsus2/G | Dsus2/G | Fsus2/B♭ | Csus2/F ‖

Verse 1

Dsus2
  Turning into something

Dsus2/G
  Drifting off to always

Fsus2/B♭   **Csus2/F**
  Gotta pull myself back in

Dsus2
  Holding back the questions

Dsus2/G
  We bruise with all rejection

Fsus2/B♭   **Csus2/F**
  Gotta pull myself back in.

Chorus 1

Dsus2   Dsus2/G
Suffer the breaks?

      Csus2   **Dsus2**   **Dsus2/G Csus2 F5**
You know I still remember it

B♭sus2 B♭sus2/E♭ Dsus2   Dsus2/G
  It   keeps   burning away

  Csus2   **B♭sus2**
I know that you may take a while

Dsus2/G
  To come back around

Link 1

Dsus2   Dsus2/G
Come back around

          · **Fsus2/B♭**   **Csus2/F**
I miss you around.

Verse 2

Dsus2
Reaching out for someone

Dsus2/G
Burning out for so long

Fsus2/B♭   **Csus2/F**
Gotta pull myself back in

Dsus2
But there's no new religion

Dsus2/G
And death's no real solution .

Fsus2/B♭   **Csus2/F**
Gotta pull myself back in.

Chorus 2   As Chorus 1

Chorus 3   As Chorus 1

Middle   ‖ **D5** **F5** **F♯5** | **G5** **C5** **D5*** ‖ *x3*

            ‖ **B♭5** | **D5** **G5** **C5** ‖ *x2*

Link 2

Dsus2   **Dsus2/G**
Come back around

          Fsus2/B♭ **Csus2/F**
Come back around.

Verse 3

Dsus2
Feel you're going under

Dsus2/G
So keep on treading water

Fsus2/B♭   **Csus2/F**
Gotta pull myself back in

Dsus2
Feel no obligation

Dsus2/G
But no more indecision

Fsus2/B♭   **Csus2/F**
Gotta pull myself back in.

Chorus 4   As Chorus 1

Chorus 5   As Chorus 1

Outro

Fsus2/B♭   **B♭sus2**
(I know that you may take a while

Dsus2/G **Csus2**   **D5**
To come back around.)

DANGER! HIGH VOLTAGE

WORDS & MUSIC BY TYLER SPENCER, JOSEPH FREZZA, STEPHEN NAWARA & ANTHONY SELPH

Bm   D   E   E/G♯   A

Intro | Bm | Bm | Bm | Bm | Bm | Bm |

Verse 1

Bm   D
Fire in the disco,

E   Bm   E/G♯   A
Fire in the taco bill.

Bm   D
Fire in the disco,

E   Bm   E/G♯   A
Fire in the gates of hell.

Verse 2

Bm   D
Don't you wanna know how we keep starting fires?

E   Bm   E/G♯   A
  It's my desire, it's my desire, it's my desire.

Bm   D
Don't you wanna know how we keep starting fires?

          E
It's my desire, it's my desire,

Bm   E/G♯   A
  It's my desire.

Chorus 1

Bm   D
Danger, danger!   High voltage,

E   Bm   E/G♯   A
  When we touch,   when we kiss.

Bm   D
Danger, danger!   High voltage,

E   Bm   E/G♯   A
  When we touch, when we kiss, when we touch.

Chorus 2

Bm   D
Danger, danger! High voltage,
E   Bm   E/G♯ A
 When we touch, when we kiss.
Bm   D
Danger, danger! High voltage,
E   Bm
 When we touch, when we kiss,
     E/G♯ A
When we touch, when we (kiss).

Guitar Solo

                              x4
‖: Bm | D | E | Bm E/G♯ A :‖
kiss.

Verse 3

     Bm
Well don't you wanna know how we keep starting fires?   D
E   Bm   E/G♯ A
 It's my desire, it's my desire.
Bm
Don't you wanna know how we keep starting fires?   D
E   Bm   E/G♯ A
 It's my desire, it's my desire.

Chorus 3   As Chorus 1

Chorus 4   As Chorus 1

Sax Solo   ‖: Bm | D | E | Bm E/G♯ A :‖

Verse 4

Bm
Fire in the disco,
D
Fire in the disco,
E   Bm E/G♯ A
Fire in the taco bill.
Bm   D
Fire in the disco,
D
Fire in the disco,
E   Bm   E/G♯ A
Fire in the gates of hell.

Outro

| Bm | D | E | Bm E/G♯ A |
       The gates of hell.

‖: Bm | D | E | Bm E/G♯ A :‖
                        Repeat to fade

DREAMER

WORDS & MUSIC BY OZZY OSBOURNE, MARTI FREDERIKSEN & MICK JONES

Db   Bbm   Gb   Ebm   Ab   Absus4   Fm

Intro | Db | Db | Db | Db |

Verse 1

Db   Bbm
Gazing through the window at the world outside
Db   Bbm
Wondering will Mother Earth survive?
Gb   Ebm
Hoping that mankind will stop abusing her,
     Ab   Absus4   Ab
Sometime.

Verse 2

Db   Bbm
After all there's only just the two of us
    Db   Bbm
And here we are still fighting for our lives
Gb   Ebm
Watching all of history repeat itself
     Ab   Absus4   Ab
Time after time.

Chorus 1

       Db
I'm just a dreamer
 Bbm   Fm   Ab Absus4
I dream my life away,
      Db
I'm just a dreamer
 Bbm   Fm   Ab
Who dreams of better days.

Verse 3

Db   Bbm
I watch the sun go down like everyone of us
    Db   Bbm
I'm hoping that the dawn will bring good signs
    Gb   Ebm
A better place for those who will come after us . . .
     Ab   Absus4   Ab
This time.

Chorus 2   As Chorus 1

Bridge
       E♭m   A♭
Your higher power may be God or Jesus Christ
       E♭m   A♭
It doesn't really matter much to me
        E♭m   A♭
Without each others help there ain't no hope for us
        E♭m   A♭
I'm living in a dream of fantasy

Oh yeah, yeah, yeah.

Guitar solo | D♭ | B♭m | D♭ | B♭m | D♭ | B♭m | Fm | A♭ A♭sus4 ‖

Link | D♭ | D♭ | D♭ | D♭ | ‖

Verse 4
       D♭   B♭m
If only we could all just find serenity
        D♭   B♭m
It would be nice if we could live as one
   G♭   E♭m
When will all this anger, hate and bigotry
      A♭   A♭sus4   A♭
Be gone?

Chorus 3   As Chorus 1

Chorus 4
          D♭
I'm just a dreamer
         B♭m   Fm   A♭   A♭sus4
Who's searching for the way, today
          D♭
I'm just a dreamer
  B♭m   Fm
Dreaming my life away
     A♭
Oh yeah, yeah, yeah.

Outro | D♭ | D♭ | D♭ | D♭ | ‖

21

ENVY

WORDS & MUSIC BY TIM WHEELER

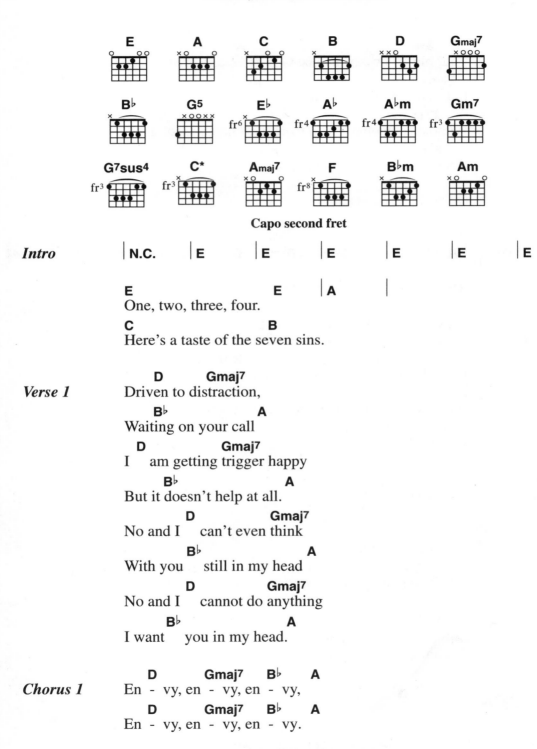

Capo second fret

Intro | N.C. | E | E | E | E | E | E

E   E | A |
One, two, three, four.

C   B
Here's a taste of the seven sins.

Verse 1

D   Gmaj7
Driven to distraction,

B♭   A
Waiting on your call

D   Gmaj7
I   am getting trigger happy

B♭   A
But it doesn't help at all.

D   Gmaj7
No and I   can't even think

B♭   A
With you   still in my head

D   Gmaj7
No and I   cannot do anything

B♭   A
I want   you in my head.

Chorus 1

D   Gmaj7   B♭   A
En - vy, en - vy, en - vy,

D   Gmaj7   B♭   A
En - vy, en - vy, en - vy.

Verse 2

    D
Breathless, weak

      Gmaj7   **B♭**   **A**
I'm distracted, I wanna get under your skin

        D   **Gmaj7**
Like a fever you leave my mouth dry

      B♭   **A**
But I   can't do anything.

    G5
Can't stop this burning from within.

Bridge 1

        E♭
Come on baby,

        A♭
Come on   baby.

        A♭m
Come on   baby,

Come on.

Link 1

| **Gm7** **G7sus4** **Gm7** | **C**   ‖

Verse 3

    D   **Gmaj7**
  Fingertips in the honey dipped

        B♭   **A**
You know   it set my soul on fire,

        D   **Gmaj7**
From her sultry hips to her velvet lips

        B♭   **A**
You know   I couldn't get much higher.

   E   **Amaj7**
I lose track of concentration

      C   **B**
I walk   around in a dream.

   E   **Amaj7**
So come on give me some of your reaction,

     C   **B**
I wan - na know explicity.

 A
   How it feels so dirty sweet, come on.

Chorus 2

   E   **Amaj7** **C**   **B**
En - vy, en - vy, en - vy,

   E   **Amaj7** **C**   **B**
En - vy, en - vy, en - vy,

| | **F**   **B**♭ |
| *cont.* | Come on   baby, uh come on   baby. |

| | **B**♭**m**   **Am** **D**   **E** |
| | Come on   baby, come on, yeah,   oh |

Amaj⁷
   Too much, too much. (*spoken*)

Link 2 | **C** | **B** |

          D   **Gmaj⁷**

Verse 4   Got struck by a lightning bolt   between the eyes

          B♭   **A**

Got paralysed way before I realised, hypnotised.

D   **Gmaj⁷**
   Conspiracy is mystery, the air she breathes

B♭   **A**
   Controversy.

I'm heading for the deep freeze.

          E   **Amaj⁷** **C**   **B**

Chorus 3 En - vy, en - vy, en - vy,

          E   **Amaj⁷** **C**   **B**
En - vy, en - vy, en - vy.

          E   **Amaj⁷**

Outro   From the East to the West, the North to the South

C   **B**
I want you so bad, want to turn you inside out.

          E   **Amaj⁷**
Wanna all night long feel the sweet sensations,

C   **B**
Sassy temptations of her hot vibrations.

    | 𝄐
    | **E**   ‖

EVERYDAY

WORDS & MUSIC BY JON BON JOVI, RICHIE SAMBORA & ANDREAS CARLSSON

Am Am/G F#m7♭5 Fmaj7 Am/E F5

G5 E5 A5 C5 Dsus2 Fmaj7sus2 D/F#

Intro

| N.C. | N.C. | |

| Am | Am/G | F#m7(♭5) | Fmaj7 Am/E ‖

Verse 1

Am
I used to be the kind of guy

Who'd never let you look inside

I'd smile when I was crying.

I had nothing to lose

Thought I had a lot to prove

In my life there's no denying.

Pre-chorus 1

F5   G5
Goodbye to all my yesterdays
F5   E5
Goodbye, so long, I'm on my way.

Chorus 1

A5
I had enough of crying
C5
Bleeding, sweating, dying.
G5   F5   E5
Hear me when I say, gonna live my life, everyday.
A5
I'm gonna touch the sky

cont.

C5
　　Spread these wings and fly.
G5　　　　　　　　　　　　　　　　　　　　　　**A5**
　　I ain't here to play, gonna live my life everyday.

Verse 2

Am
Change, everybody's feelin' strange

Never gonna be the same.

Makes you wonder how the world keeps turning.

Life, learning how to live my life,

Learning how to pick my fights,

Take my shots while I'm, still burning.

Pre-chorus 2

F5　　　　　　　　　　　　　**G5**
　　Goodbye to all those rainy nights
F5　　　　　　　　　　**E5**
　　Goodbye, so long, I'm movin' on.

Chorus 2

A5
　　I had enough of crying
C5
　　Bleeding, sweating, dying.
G5　　　　　　　　　　　　　**F5**　　　　　**E5**
　　Hear me when I say, gonna live my life, everyday.
A5
I'm gonna touch the sky
C5
　　Spread these wings and fly.
G5
　　I ain't here to play, gonna live my life every(day).

Bridge

　　　　　　Dsus2
Hit the gas, take the wheel,
(day).

I just made myself a deal.
　　　　　Fmaj7sus2
There ain't nothing gonna get in my way.

Everyday.

| *Guitar solo* | Am | Am/G | F#m7(b5) | Fmaj7 Am/E |
| | A5 | G5 | D/F# | F5 E5 |

F5   E5
Pre-chorus 3   Goodbye, so long, I'm movin' on.

A5
Chorus 3   I had enough of crying
C5
   Bleeding, sweating, dying.
G5   F5   E5
   Hear me when I say, gonna live my life, everyday.
A5
I'm gonna touch the sky
C5
And spread these wings and fly.
G5   F5   G5
   I ain't here to play, gonna live my life everyday.

A5
Chorus 4   I, oh,
C5
I, oh,
G5   F5   E5
I, I'm gonna live my life everyday.
A5
I'm gonna touch the sky, oh,
C5
   Spread these wings and fly,
G5   F5 N.C.
I, I'm gonna live my life everyday.

FILMMAKER

WORDS & MUSIC BY BENEDICT GAUTREY, DANIEL FISHER, DAVID HAMMOND, JONATHAN HARPER, KIERAN MAHON & THOMAS BELLAMY

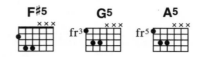

Verse 1

F♯5
This movie woulda killed us

It woulda made a mess
G5   **F♯5**
I'd have lit the fire but I'd have pulled you out.

Take a shot from every angle

Yeah, I'd have shot you down
G5   **F♯5**
I'd have made you look fucking beautiful.

Chorus 1

A5   **G5**
Don't think 'cause you can't see me, that I'm not watching
      A5
Yeah, we got leather, we got power,
G5
We got channels on CCTV.

Verse 2

F♯5
This movie woulda killed us

We'd have cut a deal
G5   **F♯5**
I'd have set the trap but I'd have pulled you out.

Lend a hand, make all the right moves

Yeah, I'd have helped you out
G5   **F♯5**
I would have made it perfect just for you.

Chorus 2   As Chorus 1

| **Guitar Riff** | N.C. | N.C. | N.C. | N.C. | N.C. | N.C. | N.C. | N.C. | |
| | F#5 | F#5 | F#5 | F#5 | G5 | G5 | F#5 | F#5 | |

Verse 3

F#5
This movie woulda killed us

It woulda made a hit
G5   F#5
But now it's turned to shit and it's because of you.

But hey, you didn't want to make it

Instead you made it with him
G5   F#5
Guess I just didn't make the final cut.

Chorus 3   As Chorus 1

Verse 4

F#5
Yeah, this movie's gonna kill me

But it'll kill you first
G5   F#5
We coulda made it oh but oh it's just too late now.

Outro

F#5
I'd have made us a killer movie,

I'd have made us a killer movie,
G5
I'd have made us a killer movie,
F#5
I would have made us a killer movie!

| F#5 | ‖ |

FOR NANCY ('COS IT ALREADY IS)

WORDS & MUSIC BY PETE YORN

D5   A5   F#5   G5   Dsus2   Asus2   F#7add11   G6

Intro

| D5 | A5 | F#5 G5 | G5 |

Verse 1

D5   A5   F#5   G5
And when you said I could not stay with you
D5   A5   F#5   G5
That's not the way you would have wanted to be
D5   A5   F#5   G5
Convince yourself that everything is alright
       D5   A5   F#5   G5
'Cos it already is.

Verse 2

D5   A5   F#5   G5
Don't sell your heart and break just anyone
D5   A5   F#5   G5
I want to run with you through morning fields
D5   A5   F#5   G5
Convince yourself that everything is alright

Chorus 1

      D5   A5   F#5   G5
'Cos it already is
      D5   A5   F#5   G5
'Cos it already is.

Verse 3

D5   A5   F#5   G5
So take your lessons hard and stay with him
D5   A5   F#5   G5
And when your car crash comes don't be misled
D5   A5   F#5   G5
Convince yourself that everything is alright

Chorus 2

      D5   A5   F#5   G5
'Cos it already is
      D5   A5   F#5   G5
'Cos it already is.

Interlude | D5 | A5 | F#5 G5 | G5 | D5 | A5 | F#5 G5 | G5   ‖

| Dsus2 | Asus2 | F#add11 G6 | G6   ‖

Verse 4

Dsus2   Asus2   F#7add11 G6
 So take your lessons hard and stay with him

Dsus2   Asus2   F#7add11 G6
 And when your car crash comes don't be   misled

Dsus2   Asus2   F#7add11 G6
 Convince yourself that everything is alright

Chorus 3

      Dsus2 Asus2   F#7add11 G6
 'Cos it already is

      D5   A5   F#5   G5
 And it already is.

Outro | D5 | A5 | F#5 G5 | G5   ‖

   D5   A5   F#5   G5
 So take him home ___

   D5   A5   F#5   G5
 So take him home ___

   D5   A5   F#5   G5
 So take him home ___

 D5   A5   F#5   G5
 Take him home

 D5   A5   F#5   G5   D5
 Take him home.

THE FAKE SOUND OF PROGRESS

WORDS & MUSIC BY MICHAEL CHIPLIN, LEE GRAZE, MICHAEL LEWIS, RICHARD OLIVER, STUART RICHARDSON & IAN WATKINS

Em   D/F#   C   D   E5   D/C

C/E   D5   C5   A5   G5   D/A

Intro
| N.C. |: Em | D/F# | C | D :|

Chorus 1

    Em   D/F#   C   D
Somebody told me that I always have to bow,

  Em   D/F#   C   D
If that was true I would have fallen apart by now.

     Em   D/F#   C   D
The more you think, the less you act their way,

          Em   D/F#   C   D
So can you hear this,   the fake sound of progress.

Interlude

                                               x4
|: Em | D/F# | C | D :|

| E5 | E5 |

Verse 1

    Em   D/C
  Never reason with a fool,

      C/E
But is that unkind?

             D/C   Em
Looks like I've lost my mind once again.

                 D/C
I know it all sounds so contrived,

      C/E
But it's got to me,

             D/C
You know I've got to be more than this.

Bridge 1

    Em   D/F#
   Don't frown,   don't scorn,

C   D
   'Cause I walk a different street to you.

    Em   D/F#
   You look   so worn,

C   D   Em
   I bet that life is has got you blown,

D/F#   C   D
   But it will,

     Em D/F# C   D
Never get   to me.

Chorus 2

       Em   D/F#   C   D
Somebody told me that I always have to bow,

     Em   D/F#   C   D
If that was true I would have fallen apart by now.

       Em   D/F#   C   D
The more you think, the less you act their way,

           Em   D/F#   C   D | E5 | E5 |
So can you hear this,   the fake sound of progress. _____

Verse 2

    Em   D/C
   And I feel the way you hold,

       C/E
Hold me back from this,

      D/C
Chances that I've missed, now they're gone.

Em   D/C   C/E
   Apathy is all I sense, the feeling's too intense,

      D/C
Sitting on the fence – can't decide.

Bridge 2   As Bridge 1

Chorus 3

      Em   D/F#   C   D
Somebody told me that I always have to   bow,

     Em   D/F#   C   D
If that was true I would have fallen apart by now.

     Em   D/F#   C   D
The more you think, the less you act their way,

        Em   D/F#   C   D | E5 | E5 |
So can you hear this,   the fake sound of progress.

Middle

Em   **D**
All these words that I accounted for,

C   **D**
Never feel another day.

C
All these talks and I need more,

D
Make me take away.

Em
Tell me now can you hear the sound,

    D
Of all these people falling down?

C
Growing back into the ground,

D | **E5**   ‖
Let me smile again.

Guitar Solo ‖: **E5** | **E5** | **D5** | **D5** | **C5** | **C5** | **A5** | **G5** :‖

Chorus 4

        Em   **D/F♯**   **C**   **D**
Somebody told me that I always have to   bow,

     Em   **D/F♯**   **C**   **D**
If that was true I would have fallen apart by now.

       Em   **D/F♯**   **C**   **D**
The more you think, the less you act their way,

         Em **D/F♯** **C**   **D**   **Em**   **D/F♯** **C**
So can you hear this,   the fake   sound of progress.

Outro

D/A   **Em**   **D/F♯**   **C**
Make me smile again.

D/A   **Em**   **D/F♯**   **C**
Make me smile again.

D/A   **Em**   **D/F♯**   **C**   **D/A**
Make me smile again.

   Em
Of progress.

GET FREE

WORDS & MUSIC BY CRAIG NICHOLLS

C5   G5   D5   A♭5   F5   A5   B♭5

Intro

‖: D* E♭* C* | D* E♭* C* | D* E♭* C* | C5 G5 :‖

*= single note

Verse 1

D5   C5
  I'm gonna get free,

D5   C5
  I'm gonna get free,

D5
  I'm gonna get free,

C5   G5
Ride into the sun.

Verse 2

D5   C5
  She never loved me,

D5   C5
  She never loved me,

D5
  She never loved me,

C5   G5
Why should anyone?

Chorus 1

C5   D5 C5 D5 C5 D5
Come here, come here, come here,

G5   A♭5 F5
I'll take your photo for ya.

C5   D5 C5 D5 C5 D5
Come here, come here, come here,

G5   A♭5   F5
Drive you around the corner.

C5   D5 C5 D5 C5 D5
Come here, come here, come here,

G5   A♭5 F5
You know you really oughta.

cont.

C5   D5   C5   D5   C5   D5
Come here, come here, come here,

G5   A♭5   F5
Move outta Cali - fornia.

Guitar solo ‖: D5 | D5 | D5 | C5   A5 :‖

Verse 3

D5   C5 D5   C5 D5   C5
Get (get) me   (me) far   (far) when

        G5
I've a lot to lose.

D5   C5 D5   C5 D5   C5 G5
Save (save) me   (me) from   (from) here (here).

Chorus 2

C5   D5   C5   D5   C5   D5   G5   A♭5   F5
Come here, come here, come here,

C5   D5   C5   D5   C5   D5   G5   A♭5   F5
Come here, come here, come here,

C5   D5   C5   D5   C5   D5   G5   A♭5   F5
Come here, come here, come here,

C5   D5   C5   D5   C5   D5   G5   A♭5   F5
Come here, come here, come here,

Bridge

B♭5   G5
When it's breeding time,

B♭   A5
Look into your mind away. _____

Verse 4

N.C.(riff)
I'm gonna get free,

I'm gonna get free,

I'm gonna get free,

C5   G5
Ride into the sun.

Verse 5

N.C.(riff)
  She never loved me,

She never loved me,

She never loved me,

C5   G5
Why should anyone?

Chorus 3

C5　　D5　　C5　　D5　　C5　　D5
Come here, come here, come here,

G5　　　　　　Ab5　　F5
I'll take your photo for ya.

C5　　D5　　C5　　D5　　C5　　D5
Come here, come here, come here,

G5　　　　　　Ab5　　F5
Drive you around the corner.

C5　　D5　　C5　　D5　　C5　　D5
Come here, come here, come here,

G5　　　　　　Ab5　　F5
You know you really oughta.

C5　　D5　　C5　　D5　　C5　　D5
Come here, come here, come here,

G5　　　　　　Ab5　　F5
Move outta Cali - fornia._____

GIRL ALL THE BAD GUYS WANT

WORDS & MUSIC BY JARET REDDICK & BUTCH WALKER

D5 **F#5** **G5** **A5** **B5** **E5**

Tune guitar

⑥ = D   ③ = G

⑤ = A   ② = B

④ = D   ① = E

Intro ‖: D5   F#5 | G5   A5 :‖

Verse 1

D5   G5   A5
Eight o'clock Monday night and I'm waiting

D5   G5   A5   B5
To finally talk to a girl a little cooler than me

D5   G5   A5
Her name is Mona she's a rocker with a nose ring

D5   G5   A5   B5
She wears a 2-way, but I'm not quite sure what that means.

Bridge 1

(B5)   A5   G5
And when she walks, all the wind blows

        D5
And the angels sing,

    E5   F#5 G5
But she doesn't notice me.

                        D5
'Cause she's watching wrestling

        E5
Creaming over tough guys

        F#5
Listening to rap metal

        G5
Turntables in her eyes.

Chorus 1

         E5   **F♯5**
It's like a bad movie, she's looking through me
                  G5
If you were me then you'd be screaming,
         F♯5   **G5**
"Someone shoot me," as I fail miserably
                  A5   **D5**
Trying to get the girl all the bad guys want . . .
F♯5   **G5**   **A5**   **D5**
  'Cause she's the girl all the bad guys want.

Link 1 | **D5** **F♯5** | **G5** **A5** |

Verse 2

D5   **G5**   **A5**
  She likes the Godsmack and I like Agent Orange
D5   **G5**   **A5**   **B5**
  Her CD changer's full of singers that are mad at their dad
D5   **G5**   **A5**
  She said she'd like to score some reefer and a 40
D5   **G5**   **A5**   **B5**
  She'll never know that I'm the best that she'll never have.

Bridge 2

(B5)   **A5**   **G5**
  And when she walks, all the wind blows
      D5
And the angels sing,
    E5   **F♯5** **G5**
But she doesn't notice me.
             D5
'Cause she's watching wrestling
         E5
Creaming over tough guys
      F♯5
Listening to rap metal
      G5
Turntables in her eyes

Pre-chorus 1   **D5**
She likes them with a mustache
     E5
Racetrack season pass
     F♯5
Driving in a Trans Am
       G5
Does a mullet make a man?

Chorus 2

       E5   **F#5**
It's like a bad movie, she's looking through me

               G5
If you were me then you'd be screaming,

    F#5   **G5**
"Someone shoot me," as I fail miserably

             A5   **D5**
Trying to get the girl all the bad guys want.

F#5   **G5**   **A5**   **D5**
'Cause she's the girl all the bad guys want.

F#5   **G5**   **A5**   **D5**
'Cause she's the girl all the bad guys want.

F#5   **G5**   **A5**   **D5**
'Cause she's the girl all the bad guys want.

Link 2

| **D5** **F#5** | **G5** **A5** ‖

Middle

    B5   **A5**   **G5**
There she goes again with fishnets on

            F#5 B5
And dreadlocks in her hair

           A5   **G5**
She broke my heart, I want to be sedated

               A5
All I wanted was to see her naked.

G5   **D5**
Now I'm watching wrestling

           E5
Trying to be a tough guy

       F#5   **G5**
Listening to rap metal, turntables in my eyes

          D5
I can't grow a moustache

        E5   **F#5**   **G5**
And I ain't got no season pass, all I got's a moped.

Chorus 3

       E5   **F#5**
It's like a bad movie, she's looking through me

               G5
If you were me then you'd be screaming,

    F#5   **G5**
"Someone shoot me," as I fail miserably

             A5   **D5**
Trying to get the girl all the bad guys want

    F#5   **G5**   **A5**   **D5**   *x6*
‖: 'Cause she's the girl all the bad guys want. :‖

40

THE GREATEST VIEW

WORDS & MUSIC BY DANIEL JOHNS

A   B7   Am   E   B♭ fr6   F   G fr3   Asus4

Asus2   C   D fr3   Amaj7   Bm/F♯   D*   Dm   F♯m

Intro
‖: (E) | (F) :‖ *x3*

Verse 1

A
You're the analyst
B7
The fungus in my milk
A   **Am**
When you want no one
A   **E**
And you got someone
A
Through the wind you crawl
B7
And laugh at burning dunes
    B♭   **F**   **G**
But no one else will ever see.

Pre-chorus 1

Asus4   **Asus2** **A**   **C**   **D**
Now that you   know why you feel like you do
      Asus4   **Asus2** **A**   **C**   **D**
They're turning their   head whilst they wait for no one
    Asus4 **Asus2** **A**   **C**   **D**   **E**
And finally   I   know why you feel like letting go.

Chorus 1

A   Amaj7
I'm watching you watch

    Bm/F#
Over me and I've got

    D*   Dm
The greatest view from here

A   Amaj7
I'm watching you watch

    Bm/F#
Over me and I've got

    D*   Dm   A
The greatest view from here.

Link 1

| (A) | C   D | A | C   D ‖

Verse 2

A
Mistakes don't mean a thing

B7
  If you don't regret them

A   Am A   E
  So pack your tactic toes for the winter.

A   B7
  Chain a waterfall to burned and withered skin

C   D   A
No-one else will ever see.

Chorus 2

A   Amaj7
I'm watching you watch

    Bm/F#
Over me and I've got

    D*   Dm
The greatest view from here

A   Amaj7
I'm watching you watch

    Bm/F#
Over me and I've got

    D   Dm
The greatest view from here.

Link 2

                x3
‖: (E) | (F) :‖ (E) (B♭)

Pre-chorus 2

     Asus⁴   **Asus² A**   **C**   **D**
Now that you   know why you feel like you do

     Asus⁴   **Asus² A**   **C**   **D**
They're turning their   head whilst they wait for no one

        Asus⁴ Asus² F♯m   **E C**   **D**   **E**
And finally   I   know why I   feel like letting go.

        Asus⁴   **F♯m**
And finally I know.

Chorus 3

     A   **Amaj⁷**
I'm watching you watch

       Bm/F♯
Over me and I've got

       D*   **Dm**
The greatest view from here

     A   **Amaj⁷**
I'm watching you watch

       Bm/F♯
Over me and I've got

       D*   **Dm**   **A**
The greatest view from here.

Outro

     (A)   **Amaj⁷**
  Da da da da, da da

       Bm/F♯
Da da da da, da da da

       D   **Dm**   **A**
The greatest view from here.

     (A)   **Amaj⁷**
  Da da da da, da da

       Bm/F♯
Da da da da, da da da

       D   **Dm**
The greatest view.

I AM MINE

WORDS & MUSIC BY EDDIE VEDDER

Chord diagrams: D5, F5/D (fr5), G5/D (fr7), E5/D (fr4), Am/D, A, D, F, C, G, F*, Am, Cadd9, C*

Intro

‖: D5 F5/D G5/D F5/D │ E5/D F5/D E5/D Am/D :‖ *x4*

│ A   ‖

Verse 1

    D   F   C   G
The selfish they're all standing in line . . .
D   F   C   G
Faith in their hope and to buy themselves time.
D F   C   G
Me, I figure as each breath goes by,
 F*   G   D
I only own my mind.

Verse 2

    D   F   C   G
The north is to south what the clock is to time.
      D   F   C   G
There's east and there's west and there's everywhere life.
   D   F   C   G
I know I was born and I know that I'll die.
   F* G   D   F*G D
The in-between is mine. I am mine.

Chorus 1

       G   Am   D
And the feeling it gets left behind . . .
        G   Am   D
Oh the innocence lost in one time . . .
   G   Am   D
Significant behind the eyes, there's no need to hide.
      D5
We're safe tonight.

Instrumental 1 | (D5) F5/D G5/D F5/D | E5/D F5/D E5/D Am/D |

| D5 F5/D G5/D F5/D | E5/D | A   ‖

Verse 2

        D   F   C   G
The ocean is full 'cause everyone's crying,
        D   F   C   G
The full moon is looking for friends at high tide.
        D   F   C   G
The sorrow grows bigger when the sorrow's denied.
    F* G   D   F* G D
I only know my— mind. I am mine.

Chorus 2   As Chorus 1

                                   x3
Instrumental 2 ‖: D F5/D G5/D F5/D | D   Cadd9 :‖

                          x2
       ‖: D F5/D G5/D F5/D :‖

       | D F5/D G5/D F5/D | D Cadd9 ‖

Chorus 3   As Chorus 1

Chorus 4   As Chorus 1

                      x3
Outro   ‖: G Am | D   :‖ Cadd9 ‖

INFLATABLE

WORDS & MUSIC BY GAVIN ROSSDALE

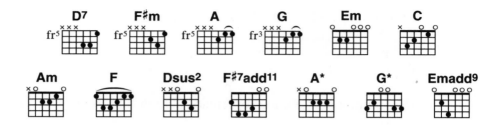

Verse 1

     (D)   **(F♯m)**
Let it slide overhead

    (A)   **(G)**
When I believe in you, my soul can rest

     D   **F♯m**   **A**
But as love that's really love can never fail

   G
But fail it does

     D   **F♯m**
When we shine like the sun

      A   **G**
You seem the only one, my only friend.

Chorus 1

 Em   **C**   **Em**
   You're so pretty in white, pretty when you're faithful

      C   **Am**
So pretty in white. pretty when you're faithful

     F
When you're faithful.

Link 1 | D | F♯m ||

Verse 2

    D   **F♯m**
I resigned from myself

     A   **G**
Took a break as someone else

 D   **F♯m**
  It's like we've come undone

       A   **G**
But I've only just become inflatable for you.

Chorus 2

    Em   **C**   **Em**
     You're so pretty in white, pretty when you're faithful

            C   **Em**
So pretty in white, pretty when you're faithful

            C   **Am**
So pretty in white, pretty when you're faithful

            F
When you're faithful.

| **Em** | ‖ |

Guitar Solo | **D** | **F♯7add11** | **A*** | **G*** | ‖

Middle

           D   **F♯7add11**
I don't mind most of the time

                   A*   **G***
But you push me so far inside.

Chorus 3

    Em   **C**   **Em**
     You're so pretty in white, pretty when you're faithful

            C   **Em**
So pretty in white, pretty when you're faithful

            C   **Am**
So pretty in white, pretty when you're faithful

            F
When you're faithful

               ⌢
            Emadd9
When you're faithful.

IN MY PLACE

WORDS & MUSIC BY GUY BERRYMAN, JON BUCKLAND, WILL CHAMPION & CHRIS MARTIN

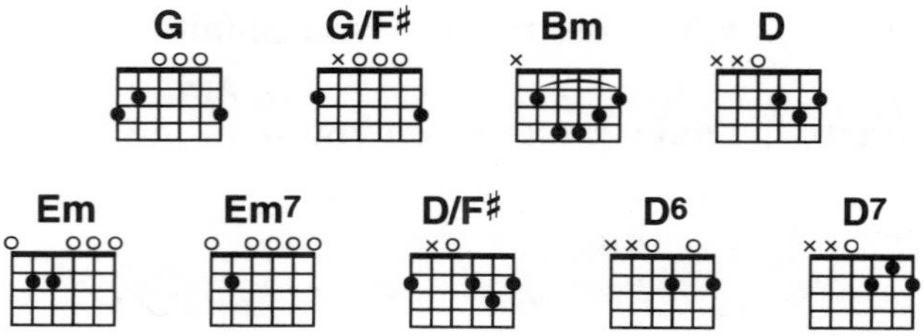

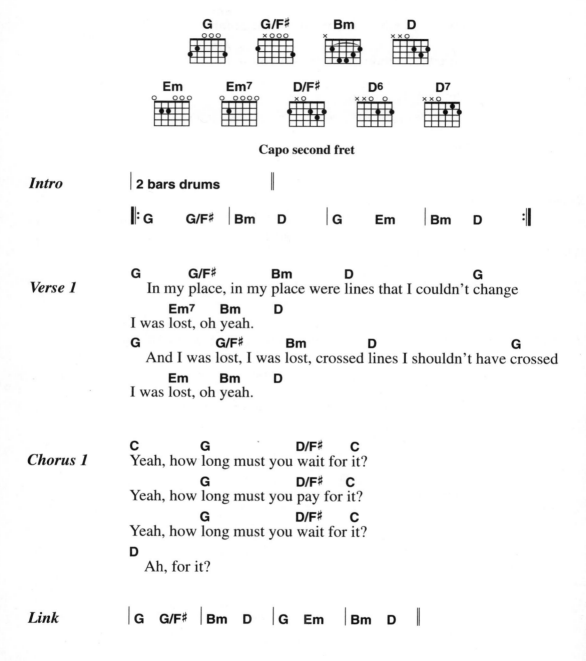

Capo second fret

Intro | 2 bars drums ‖

‖: G G/F♯ | Bm D | G Em | Bm D :‖

Verse 1

G G/F♯ Bm D G
In my place, in my place were lines that I couldn't change
Em7 Bm D
I was lost, oh yeah.
G G/F♯ Bm D G
And I was lost, I was lost, crossed lines I shouldn't have crossed
Em Bm D
I was lost, oh yeah.

Chorus 1

C G D/F♯ C
Yeah, how long must you wait for it?
G D/F♯ C
Yeah, how long must you pay for it?
G D/F♯ C
Yeah, how long must you wait for it?
D
Ah, for it?

Link | G G/F♯ | Bm D | G Em | Bm D ‖

Verse 2

G   G/F♯   Bm   D   G
I was scared, I was scared, tired and under-prepared,

        Em7   Bm   D
But I'll wait for it.

G   G/F♯   Bm   D   G
And if you go, if you go and leave me down here on my own,

        Em   Bm   D
Then I'll wait for you, yeah.

Chorus 2

C   G   D/F♯   C
Yeah, how long must you wait for it?

          G   D/F♯   C
Yeah, how long must you pay for it?

          G   D/F♯   C
Yeah, how long must you wait for it?

D
Ah, for it?

Instrumental

‖: G   G/F♯ | Bm   D | G   Em | Bm   D   :‖

Middle

        G   G/F♯   Bm
Singing: "Please, please, please,

        D   G   Em   Bm
Come back and sing to me, to me, ah me.

        D   G G/F♯   Bm
Come on and sing it out, now, now

        D   G   Em   Bm
Come on and sing it out, to me, ah me

        D
Come back and sing it."

Outro

G   G/F♯   Bm   D   G
In my place, in my place were lines that I couldn't change

        Em7   D6
I was lost, oh yeah.

D7 G
Oh yeah.

IN YOUR WORLD

LYRICS & MUSIC BY MATTHEW BELLAMY

C5   F5   E5   A5   Am   F

Dm   E7   Am*   Dm*   Am**   Dm7   E

Tune guitar

⑥ = E   ③ = G
⑤ = A   ② = B
④ = E   ① = E

Intro
| Ad lib. fx | N.C. | C5 F5 | C5 F5 | A5 E5 | A5 F5 |

| C5 F5 | C5 E5 | A5 E5 | A5 E5 | C5 E5 | C5 E5 |

| A5 E5 | A5 F5 | Am | F | Dm | E7 ‖

Verse 1

Am   F   Dm
I'm hurt - ing you again,_____

    E7   Am*
Too lonely to complain.

      F   Dm
Like ev - erything is new_____

   E7
I promise you to

Pre-chorus 1

Am*   Dm* Am**   Dm7 Am** | E   F5 ‖
Blow   it   all   a -   way,

Link 1
| C5   F5 | C5   E5 | A5   E5 | A5   F5 ‖

Chorus 1

C5   F5 C5   E5   A5   E5   A5
World,   nobody's cry - ing   alone_____

F5   C5   F5 C5   E5   A5   E5   C5   F5
In your world   no-one is dy - ing   alone._____

Guitar solo
| Am | F | Dm | E7 ‖

Verse 2

Am   F   Dm
Too bro - ken to belong _____

E7   Am
Too weary to sing along

      F   Dm
I'll comfort you my friend _____

E7
Helping you to

Pre-chorus 2

Am*   Dm* Am**   Dm7   Am** | E   F5 ||
Blow   it   all   a - way,

Link 2

| C5   F5 | C5   E5 | A5   E5 | A5   F5 ||

Chorus 2

C5   F5 C5   E5   A5
World,   nobody's cry - ing   alone

F5   C5   F5 C5   E5   A5   E5
In your world   no-one is dy - ing   alone._____

Outro

| A5   F5 | Am | F | Dm | E7 |

| Am | F | Dm | E7 | Am ||

LITTLE BY LITTLE

WORDS & MUSIC BY NOEL GALLAGHER

C   G/B   G5   Em7   Emadd9   A7   D

D/F#   G/F#   A7sus4   A   Cadd9   G/B*   Dsus2   Dsus(#5)

Intro | C G/B G5 Em7 | Emadd9 | A7 | Emadd9 | A7   ‖

Verse 1

Emadd9   A7
We the people fight for our existence,

    Emadd9   A7
We don't claim to be perfect but we're free.

    Emadd9   A7
We dream our dreams alone with no resistance,

Emadd9   A7
Faded like the stars we wish to be.

Pre-chorus 1

                  D   D/F#   G   G/F#
Y' know I didn't mean,   what I just said,

      Em7   A7sus4
But my God woke up on the wrong side of His bed,

And it just don't matter now.

Chorus 1

    G5   D   A   Em7   D/F#
    Little by little, we gave you everything you ever dreamed of.

    G5   D   A   Em7   D/F#
    Little by little, the wheels of your life have slowly fallen off.

    G5   D   A   Em7   D/F#
    Little by little, you have to live it all in all your life,

    G5   D   Cadd9   G/B*   A7sus4
    And all the time, I just ask myself why   are you really here?

Verse 2

Emadd9   A7
True perfection has to be imperfect,

Emadd9   A7
I know that that sounds foolish but it's true.

Emadd9   A7
The day has come and now you'll have to accept,

Emadd9   A7
The life inside your head we gave to you.

Pre-chorus 2 As Pre-chorus 1

Chorus 2

G5   D A   Em7 D/F♯
Little by little, we gave you everything you ever dreamed of.

G5   D A   Em7 D/F♯
Little by little, the wheels of your life have slowly fallen off.

G5   D A   Em7 D/F♯
Little by little, you have to live it all in all your life,

G5   D   Cadd9   G/B*   A7sus4
And all the time, I just ask myself why are you really here? Hey!

Instrumental | A G5 D | A | A G5 D | D | D   A G5 |

| D   A | A   ‖

Chorus 3

G5   D A   Em7 D/F♯
Little by little, we gave you everything you ever dreamed of.

G5   D A   Em7 D/F♯
Little by little, the wheels of your life have slowly fallen off.

G5   D A   Em7 D/F♯
Little by little, you have to live it all in all your life,

G5   D   D/F♯
And all the time, I just ask myself why you're really here.

| G5 D | A7sus4 Em D/F♯ | G5 D |

A7sus4 Em D/F♯ G5 D |
Why am I really here?

A7sus4 Em D/F♯ G5 D | Cadd9 G5   ‖
Why am I really here?

Outro ‖: D | Dsus2 | D | Dsus2 :‖

‖: Dsus2 | G5 | Dsus2(♯5) | G5 :‖   *Repeat to fade*

LOST CAUSE

WORDS & MUSIC BY BECK HANSEN

Fmaj7   C   Gadd11/B   Am   E7   G6   A7

Intro

| Fmaj7 | C Gadd11/B ‖ *x4*

Verse 1

Fmaj7　　C　　Gadd11/B
Your sorry eyes

Fmaj7　　　　C　　Gadd11/B
Cut through the bone

Fmaj7　　　　C　　Gadd11/B
They make it hard

Am　　　　　E7
To leave you alone

Fmaj7　　C　　Gadd11/B
Leave you here

Fmaj7　　　　C　　Gadd11/B
Wearing your wounds

Fmaj7　　　　C　　Gadd11/B
Waving your guns

Am　　　　　E7
At somebody new.

Chorus 1

Fmaj7　　　　G6
Baby you're lost

Fmaj7　　　　G6
Baby you're lost

Fmaj7　　G6　　　　　　C
Baby you're a lost cause.

Verse 2

Fmaj7　　　　　　C　　　　Gadd11/B
There's too many people

Fmaj7　　　　C　　　　Gadd11/B
You used to know

Fmaj7　　　　C　　　　Gadd11/B
They see you coming

Am　　　　　E7
They see you go

| | **Fmaj7**   **C**   **Gadd11/B** |
| **cont.** | They know your secrets |

Fmaj7   **C**   **Gadd11/B**
And you know theirs

Fmaj7   **C**   **Gadd11/B**
This town is crazy;

Am   **E7**
Nobody cares.

Chorus 2   As Chorus 1

Link 1 | **A7**   ‖

Fmaj7   **G6**
Chorus 3   I'm tired of fighting

Fmaj7   **G6**
I'm tired of fighting

Fmaj7   **G6**   **C**
Fighting for a lost cause.

A7   **Fmaj7**   **C**   **Gadd11/B**
Bridge   There's a place where you are going

A7   **Fmaj7**   **C**   **Gadd11/B**
You ain't never been before

A7   **Fmaj7**   **C**   **Gadd11/B**
No one left to watch your back now

Fmaj7   **C**
No one standing at your door

Fmaj7   **C**
That's what you thought love was for.

Chorus 4   As Chorus 1

Link 2 | **A7**   ‖

Chorus 5   As Chorus 3

Outro | C | C | C | C̑   ‖

55

THE MIDDLE

WORDS & MUSIC BY JAMES ADKINS, THOMAS LINTON, RICHARD BURCH & ZACHARY LIND

D5   A5   G5   D5*   A   G5*

Tune guitar

⑥ = D   ③ = G
⑤ = A   ② = B
④ = D   ① = E

Verse 1

D5
Hey
                              A5
Don't write yourself off yet
                                   G5
It's only in your head you feel left out or
                D5
Looked down on

Just try your best
                        A5
Try everything you can
                                        G5
And don't you worry what they tell
                          D5
Themselves when you're away.

Chorus 1

                    D5*
It just takes some time
                                          A
Little girl, you're in the middle of the ride
                                   G5*
Everything, everything will be just fine
                            D5*
Everything, everything will be all right.

Verse 2

D5   **A5**
Hey you know they're all the same
                              G5
You know you're doing better on your own
              D5
So don't buy in

cont.   Live right now

                     A5
        Just be yourself

                                  G5
        It doesn't matter if that's good enough for

                  D5
        Someone else.

                  D5*
Chorus 2   It just takes some time

                            A
        Little girl, you're in the middle of the ride

                        G5*
        Everything, everything will be just fine

                       D5*
        Everything, everything will be all right.

Chorus 3   As Chorus 2

Guitar solo | **A5** | **A5** | **D5** | **D5** | **A5** | **A5** | **D5** | **D5** |

               G5 | **G5** | **D5** | **D5** | **A5** | **A5** | **A5** | **A5**   ‖

            (D5)
Verse 3   Hey

                          A5
        Don't write yourself off yet

                          G5
        It's only in your head you feel left out or

                  D5
        Looked down on

        Just do your best

                      A5
        Do everything you can

                                    G5   **D5**
        And don't you worry what their bitter hearts are going to say.

Chorus 4   As Chorus 2

Chorus 5   As Chorus 2

MOVIES

WORDS & MUSIC BY DRYDEN MITCHELL, TERENCE CORSO, TYE ZAMORA & MIKE COSGROVE

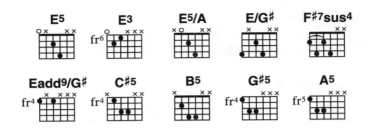

Intro | E5 | E5 | E3 | E3 ‖

Verse 1

E5   E3
At slow speed we all seem focused

E5   E3
In motion we seem wrong

E5   E3
In summer we can taste the rain.

Chorus 1

E5/A E/G# F#7sus4 E5/A
I want you to be free

E3   Eadd9/G#
Don't worry about me

E5/A   E/G# F#7sus4 E/A
And just like the movies

E3   Eadd9/G#   E5/A
We play out our last scene.

Verse 2

E5
Two can play this game

E3
We both want power

E5   E3
In winter we can taste the pain.

Bridge 1

C#5   E5 B5   C#5 G#5
In our short years, we come long way

     A5 B5   E5
To treat it bad and throw away

C#5   E5 B5   C#5 G#5
In our short years, we come long way

     B5
To treat it bad and throw away.

Chorus 2

E5/A   E/G# F#7sus4 E5/A
 I want you to be   free

E3   Eadd9/G#
 Don't worry about me

E5/A   E/G# F#7sus4 E5/A
 And just like the   movies

E3   Eadd9/G#   E5/A
 We play out our last scene

E5/A   E/G#   F#7sus4
 You won't cry

     E5/A E3   Eadd9/G# E5
I won't   scream.

Bridge 2

 (E5) (E/G#) (E5/A)   (E5)
In our short years, we come long way

  (E/G#) (C#5)
To treat it bad and throw away

    (E5) (B5) (C#5) (G#5)
And if we make a little space

    (A5) (B5)
A science fiction showcase.

C#5
 In our short film, a love disgrace

Dream a scene to brighten face

In our short years we come long way

     B5
To treat it bad, just to throw it away.

Chorus 3   As Chorus 2

      | ⌢
      | E5 ‖

MY FRIENDS OVER YOU

WORDS & MUSIC BY CYRUS BOLOOKI, CHAD GILBERT, JORDAN PUNDIK, IAN GRUSHKA & STEVE KLEIN

D5   G5   E5   F♯5   A5   B5

Tune bottom string down to D

Intro | D5 | D5 | G5 | G5 | D5 | D5 | G5 | |

Verse 1
      G5   D5
I'm drunk off your kiss
         G5
For another night in a row
                         D5
This is becoming too routine for me
         E5   F♯5 G5
But I did not mean to lead   you on.
           D5
And it's alright to pretend
         G5
That we still talk
        D5
It's just for show, isn't it?
E5   F♯5 G5
It's my fault that it fell   apart.

Bridge 1
        F♯5 E5
Just maybe
        F♯5   G5
You need this
         F♯5 E5 F♯5   G5
And I didn't, mean to
F♯5 A5
       Lead you on.

Chorus 1
      D5   G5
You were everything I wanted
        D5   G5
But I just can't finish what I started
           B5   G5
There's no room left here on my back

B5
It was damaged long ago

               N.C.
Though you swear that you are true

           D5
I still pick my friends over you

G5   **D5**   **G5**
  My friends over you.

Verse 2

   G5   **D5**
  Please tell me everything,

       G5
That you think that I should know

         D5
About all the plans we made

      E5   **F#5 G5**
When I was somewhere to   be found.

        D5
And it's alright to forget

       G5
That we still talk

      D5
It's just for fun, isn't it?

E5   **F#5 G5**
It's my fault that it fell   apart.

Bridge 2   As Bridge 1

Chorus 2   As Chorus 1

                                              x3
Interlude   ‖: **D5 F#5 G5 D5 F#5 G5** | **B5 F#5 G5 B5 A5 G5** :‖

Bridge 3   As Bridge 1

Chorus 3   As Chorus 1

Chorus 4   As Chorus 1

Outro | **D5** | **D5** | **G5** | **G5**   ‖

NUCLEAR

WORDS & MUSIC BY RYAN ADAMS

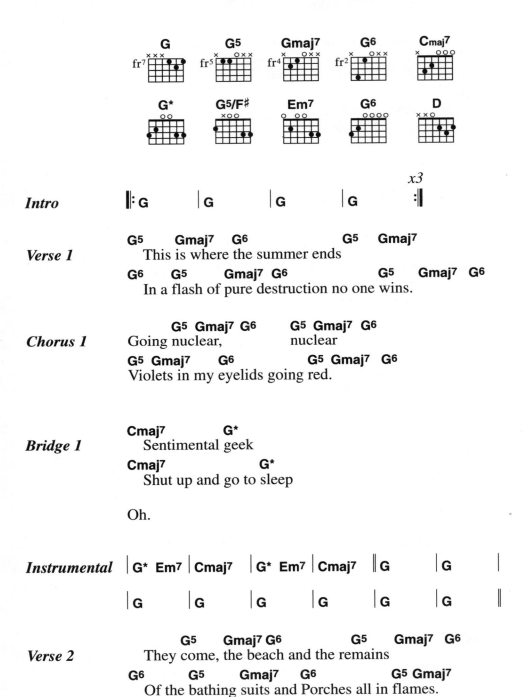

Intro ‖: G | G | G | G :‖ *x3*

Verse 1

G5   Gmaj7 G6   G5   Gmaj7
This is where the summer ends

G6   G5   Gmaj7 G6   G5   Gmaj7 G6
In a flash of pure destruction no one wins.

Chorus 1

    G5 Gmaj7 G6   G5 Gmaj7 G6
Going nuclear,   nuclear

G5 Gmaj7   G6   G5 Gmaj7 G6
Violets in my eyelids going red.

Bridge 1

Cmaj7   G*
Sentimental geek

Cmaj7   G*
Shut up and go to sleep

Oh.

Instrumental | G* Em7 | Cmaj7 | G* Em7 | Cmaj7 ‖ G | G |

| G | G | G | G | G | G ‖

Verse 2

     G5   Gmaj7 G6   G5   Gmaj7 G6
They come, the beach and the remains

G6   G5   Gmaj7   G6   G5 Gmaj7
Of the bathing suits and Porches all in flames.

Chorus 2

G^5 $Gmaj^7$ G^6 G^5 $Gmaj^7$ G^6

Going nuclear,   nuclear

G^5 $Gmaj^7$ G^6 G^5 $Gmaj^7$ G^6

Oh and I saw her, the Yankee's lost to the Braves.

Bridge 2

$Cmaj^7$ G*

Sentimental geek

$Cmaj^7$ G*

Sentimental geek

$Cmaj^7$ G*

Sentimental geek

$Cmaj^7$ $G^5/F^\sharp$

Shut up and go to sleep.

Em^7 $Cmaj^7$

Give me an answer

G^6 D

Give me an answer

Em^7 $Cmaj^7$

Give me an answer

G^6 D

Give me an answer

Em^7 $Cmaj^7$

Give me an an......

G^6 D

....

Em^7 $Cmaj^7$

Give me an an......

G^6 D

....

Outro | $Cmaj^7$ | $Cmaj^7$ | $Cmaj^7$ | $Cmaj^7$ ‖

NO ONE KNOWS

WORDS & MUSIC BY JOSH HOMME, NICK OLIVERI & MARK LANEGAN

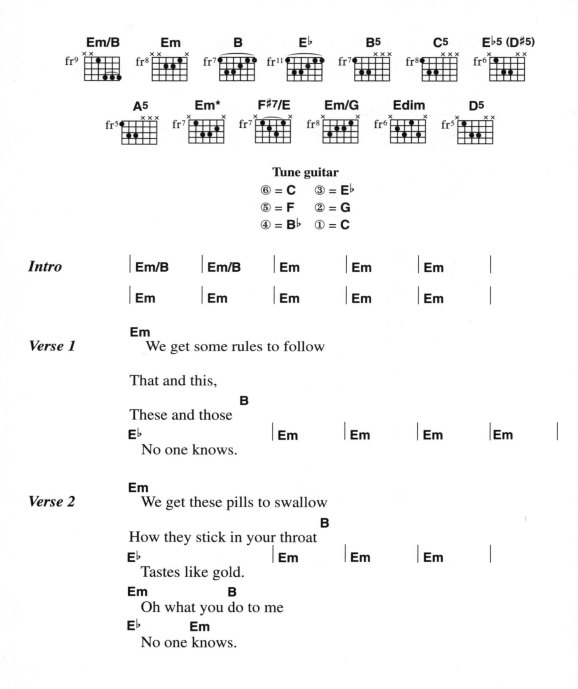

Tune guitar

⑥ = C   ③ = E♭
⑤ = F   ② = G
④ = B♭   ① = C

Intro | Em/B | Em/B | Em | Em | Em |

| Em | Em | Em | Em | Em |

Em

Verse 1   We get some rules to follow

That and this,
                                    B
These and those
E♭ | Em | Em | Em | Em |
   No one knows.

Em

Verse 2   We get these pills to swallow
                                                B
How they stick in your throat
E♭ | Em | Em | Em |
   Tastes like gold.
Em   **B**
   Oh what you do to me
E♭   **Em**
   No one knows.

Chorus 1

N.C.   B5
I realise you're mine
N.C.   B5
Indeed a fool of mine
N.C.   B5
I realise you're mine
N.C.   B5
Indeed a fool am I, ah._____

Link

| Em | Em | Em | Em |

Verse 3

Em
    I journey through the desert
                              B
Of the mind with no hope
E♭   Em
    I follow.

Verse 4

Em
    I drift along the ocean
                          B
Dead lifeboats in the sun
E♭   Em
    And come undone.
                B
Pleasantly caving in
E♭   Em
    I come undone.

Chorus 2

N.C.   B5
I realise you're mine
N.C.   B5
Indeed a fool of mine
N.C.   B5
I realise you're mine
N.C.   B5
Indeed a fool am I, ah._____

Interlude

                                                    x2
‖: E5 | E5 | E5 | B5 C5 E♭5 B5 A5 B5   :‖
                              x3
‖: B5 C5 E♭5 B5 A5 B5   :‖

Bass solo | N.C. (E5) | (E5) | (E5) | (E5) |

Guitar solo | Em* | Em* | A5 | B5 | Em* | F#7/E |

| Em/G | Edim | Em* | F#7/E | D5 | D#5 |

Bass | E* (bass) | E* (bass) | E* (bass) | E* (bass) |

Verse 5

E* (bass)
Heaven smiles above me
Em   B
What a gift here below
E♭   Em
But no one knows.
          B
Gift that you give to me
E♭   Em
No one knows.

Outro | Em | Em | Em ‖

THE ONE

WORDS & MUSIC BY DAVE GROHL, NATE MENDEL, TAYLOR HAWKINS & CHRIS SHIFLETT

Tune guitar

⑥ = D   ③ = G
⑤ = A   ② = B
④ = D   ① = E

Intro

$x3$

‖: G#5 A5 G#5 A5 | G#5 A5 D5 D#5 :‖

| G#5 A5 G#5 A5 | G#5 A5 C5 G5 ‖

Verse 1

A5*   E
   Everyone makes one mistake

G5*   D
   One more time for old times sake

F5   E5   D5
   One more time before the feeling fades

A5*   E
   One less born of memories

G5*   D
   One more bruise you gave to me

F5   E5   D5   D#5
   One more test just how much can I take?

Chorus 1

G#5   A5   C#5 D5
You're not the one, but you're the on - ly one

      B5   C5   F5   G5
Who could make me feel like this.

G#5   A5   C#5 D5
You're not the one, but you're the on - ly one

      B5   C5   F5   G5
Who can make me feel like shit.

Interlude | G#5 A5 G#5 A5 | G#5 A5 D5 D#5 |

| G#5 A5 G#5 A5 | G#5 A5 C5 G5 ‖

Verse 2

A5*   E
Something never meant to be
G5*   D
Everything you meant to me
F5   E5   D5   D#5
Wake me when this punishment is done
A5*   E
Those who try and get away
G5*   D
From the one who gets away
F5   E5   D5   D#5
Someone's always someone else's one.

Chorus 2 As Chorus 1

Chorus 3 As Chorus 1

Bridge

D5*   D#5* F5
Until the end of   time
               G5
In another life
             D5*
Till the day I die
                    F5
Save it up for one more try
                    G5
Save it for the last goodbye
       E5*
We go on, and get off
                D#5* D5   C5
And get on, and get   off.

Guitar solo | A5 | A5   ‖

Chorus 4   As Chorus 1

Chorus 5   As Chorus 1

              G#5   A5   C#5 D5

Chorus 6   You're not the one, but you're the on - ly one

                              B5   C5   F5   G5

Who could make me feel like this.

G#5   A5   C#5 D5

You're not the one, but you're the on - ly one

               B5   C5   F5   G5

Who can make me feel like shit.

A5

Oh shit.

OUTTATHAWAY

WORDS & MUSIC BY CRAIG NICHOLLS

A   G   C6   F   Bb   C   G*

B   C*   A5   C5   G5   B5   D5

Intro

| 4 bars drums and feedback ‖

‖: A   G A | A   C6 :‖ *x4*

Verse 1

A   G   A   C6
I get (I get, I get) what I own.
A   G A
Don't let (don't let, don't let)
     C6   G A F   G
The feelings that I choose, (I choose, I choose)
         Bb   A G A   C6
'Cause everybody else do.   Yeah._____

Chorus 1

A
Gotta get outtathaway
C   G*
  No time for me to say,
     B   D   C* A G   A
Everyone in the world don't affect you.
C6   A G A
Yeah._____
     C6   G
I'm   comin' on,
    F G Bb A   G A   C6
Let me roll them.

Verse 2

A   G   A
We think (we   think,   we think)

C6   A   G A
You're a lot different, (different, different)

       C6   G   F   G
Your number ain't your thing, (your thing, your thing)

     B♭   A   G   A
Your life is on the wrong end.

Chorus 2

A
Gotta get outtathaway

C   G*
  No time for me to say,

       B   D   C*
Everyone in the world don't affect you.

Guitar Solo

| A5 | A5 | A5 | A5 | G5 | G5 | A5 | A5 |

| A5 | A5 | A5 | A5 | G5 | G5 | A5 | A5 |

| A⏜5 | A⏜5 ‖

Middle

       A5   C5   G5
Come on,

            B5   D5   C5
Now come on.

          A5   C5   G5
Now come on,

            B5   D5   C5
Now come on.

Link

| A5 C5 | G5 | B5 D5 | C5 | A5 C5 | G5 | B5 D5 |

Outro

C5   A5 C5   G5
   Now come on,

            B5   D5   C5
Now come on.

          A5   C5   G5
Now come on,

            B5   D5   C5
Now come on.

A   G   Ⓐ
Ah. _____

PAPERCUT

WORDS & MUSIC BY CHESTER BENNINGTON, ROB BOURDON, BRAD DELSON, JOSEPH HAHN & MIKE SHINODA

Tune guitar

⑥ = C♯   ③ = F♯
⑤ = G♯   ② = A♯
④ = C♯   ① = D♯

Riff 1

Intro

| C♯5 E5 D♯5 | Esus2 | x4

Verse 1

C♯5   A5
Why does it feel like night today?

             G♯5
Something in here's not right today.

C♯5   A5
Why am I so uptight today?

             G♯5
Paranoia's all I got left.

C♯5   A5
I don't know what stressed me first

             G♯5
Or how the pressure was fed

     C♯5   A5
But I know just what it feels like

             G♯5   D5   E5
To have a voice in the back of my head.

Bridge 1

(E5)   C♯5   A5
It's like a face that I hold inside

             G♯5
A face that awakes when I close my eyes

         C♯5   A5
A face watches every time I lie

         G♯5
A face that laughs every time I fall

D5   E5   C♯5
(And watches everything)

cont.

     A5   **G#5**
So I know that when it's time to sink or swim
        C#5   **A5**
That the face inside is hearing me
     G#5
Right underneath my skin.

Chorus 1   It's like I'm
C#5 (Riff 1)   **Esus2**
Paranoid lookin' over my back

It's like a
C#5 (Riff 1)   **Esus2**
Whirlwind inside of my head

It's like I
C#5 (Riff 1)   **Esus2**
Can't stop what I'm hearing within
       C#5 (Riff 1)   **Esus2**
It's like the face inside is right beneath my skin.

Verse 2   **C#5**   **A5**
I know I've got a face in me
G#5   **D5**   **E5**
Points out all my mistakes to me
C#5   **A5**
You've got a face on the inside too and
G#5   **D5**   **E5**
Your paranoia's probably worse
C#5   **A5**
I don't know what set me off first but
      G#5   **D5**
I know what I can't stand
    E5   **C#5**   **A5**
Everybody acts like the fact of the matter is
      G#5
I can't add up to what you can.

Bridge 2   **D5**   **E5**   **C#5**   **A5**
But everybody has a face that they hold inside
           G#5
A face that awakes when I close my eyes
     C#5   **A5**
A face watches every time they lie
     G#5
A face that laughs every time they fall

cont.

D5   E5   C#5
(And watches everything)

                A5   G#5   D5
So you know that when it's time to sink or swim

        E5 C#5   A5
That the face inside is watching you too

G#5
Right inside your skin.

Chorus 2   It's like I'm

C#5 (Riff 1)   Esus2
    Paranoid lookin' over my back

It's like a

C#5 (Riff 1)   Esus2
    Whirlwind inside of my head

It's like I

C#5 (Riff 1)   Esus2
    Can't stop what I'm hearing within

            C#5 (Riff 1)   Esus2   G#5
It's like the face inside is right beneath my skin.

Chorus 3   It's like I'm

C#5 (Riff 1)   Esus2
    Paranoid lookin' over my back

It's like a

C#5 (Riff 1)   Esus2
    Whirlwind inside of my head

It's like I

C#5 (Riff 1)   Esus2
    Can't stop what I'm hearing within

            C#5 (Riff 1)   Esus2
It's like the face inside is right beneath my skin.

Interlude | C#5 | D5 E5 | C#5 | D5 E5 | C#5 | D5 E5 | C#5 | C#5   ‖

                Asus2 Bsus2 F#sus2 Asus2
Outro   The sun   goes   down

        Bsus2   F#sus2
             I feel the light betray me.

Asus2 Bsus2 F♯sus2 Asus2
The sun   goes down

Bsus2   F♯sus2
      I feel the light betray me.

Asus2 Bsus2 F♯sus2 Asus2
The   sun _____

Bsus2   F♯sus2
      I feel the light betray me.

Asus2 Bsus2 F♯sus2 Asus2
The   sun _____

Bsus2   Asus2   Bsus2
      I feel the light betray me.

Asus2 Bsus2 F♯sus2
Ah _____

‖ **D5   E5   C♯5** .   ‖

POSITIVITY

WORDS & MUSIC BY BRETT ANDERSON, RICHARD OAKES, MATT OSMAN, SIMON GILBERT & NEIL CODLING

E   D   A   Bm   C#m   D*   E*

Tune guitar

⑥ = E♭   ③ = G♭
⑤ = A♭   ② = B♭
④ = D♭   ① = E♭

Intro

| E D || A | Bm | A | Bm ||

Verse 1

A   Bm   C#m   Bm
  You say what you want to say

A   Bm   C#m   Bm
  Your diamonds are drops of rain

A   Bm   C#m   Bm
  Your smile is your credit card

A   Bm   C#m   Bm
  And your currency is your love.

Chorus 1

D*   E*
  And the morning is for you

D*   E*
  And the air is free

D*   C#m
  And the birds sing for you

     Bm
And your positivity.

Interlude

| A | Bm |

Verse 2

A   Bm   C#m   Bm
  So you play where you want to play

A   Bm   C#m   Bm
  On the main streets where the creeps all pray

A   Bm   C#m   Bm
  And you can feel like you're in Dynasty

A   Bm   C#m   Bm
  And you can be what you want to be.

Chorus 2

D*   E*
And the morning is for you

D*   E*
And the air is free

D*   C#m
And the birds sing for you

             Bm
And your positivity.

Interlude | A | Bm | A | Bm |

Chorus 3

D*   E*
And the cars crash for you

D*   E*
And the sunshine is free

D*   C#m   Bm C#m
And the sirens call you

D*   E*
Yes, the morning is for you

D*   E*
Yes, the air is free

D*   C#m
And yes, the world spins for you

         Bm   A
And your positivity

Bm   A
Positivity.

Outro | Bm C#m Bm | A   ‖

THE PEOPLE THAT WE LOVE

WORDS & MUSIC BY GAVIN ROSSDALE

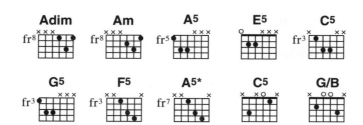

Intro ‖: Adim | Adim Am :‖

| A5 E5 | C5 A5 G5 A5 ‖

‖: Adim | Adim Am :‖ *x5*

Verse 1
A5   E5 C5   A5 G5 A5
Speed kills coming down the mountain
     E5 C5   A5 G5 A5
Speed kills coming down the street
     E5 C5   A5 G5 A5
Speed kills with presence of mind and
     E5   C5   A5 G5 A5
Speed kills if you know what I mean.

Link 1 ‖: A5 E5 | C5 A5 G5 A5 :‖

Verse 2
A5   E5 C5   A5 G5 A5
Got to feel – woke up inside again
     E5   C5   A5 G5 A5
Got to feel less broke more fixed
     E5   C5   A5 G5 A5
Got to feel when I got outside myself
     E5   C5   A5 G5 A5
Got to feel when I touched your lips.

Chorus 1

A5   E5   C5 A5 G5 A5
 The things that we do to the people that we love

       E5   C5   A5 G5 A5
The way we break if there's something we can't take

       E5   C5 A5 G5 A5
Destroy the world that took so long to make

Link 2

|(A5) E5 |C5 A5 G5 A5 ‖

Bridge 1

F5   A5*
 We expect her gone for some time

F5   C5 G/B
 I wish her safe from harm

F5   A5*
 To find yourself in a foreign land

F5   C5 G/B
 Another refugee, outsider refugee.

Link 3

             x3

|(A5) E5 |C5 A5 G5 A5 ‖

Verse 3

A5 E5   C5   A5 G5 A5
How's it feel, she's coming up roses

    E5   C5   A5 G5 A5
How's it feel, she's coming up sweet

    E5   C5 A5 G5 A5
How's it feel, when it's all in spite of you

    E5   C5   A5 G5 A5
How's it feel when she's out of your reach?

Chorus 2

A5   E5   C5 A5 G5 A5
 The things that we do to the people that we love

       E5   C5   A5 G5 A5
The way we break if there's something we can't take

       E5   C5 A5 G5 A5
Destroy the world that took so long to make

Bridge 2

```
F5                    A5*
We expect her gone for some time
F5                          C5     G/B
I wish her safe from harm
F5                        A5*
To find yourself in a foreign land
F5                C5        G/B
Another refugee, outsider refugee.
```

```
| A5  E5 | C5  A⌢5 | A5  E5 | C5  A5 |
```

```
A5       G5 A5             A5    E5    C5
What happened to you?
A5       G5 A5             A5    E5    C5
What happened to you?
A5       G5 A5             A5    E5    C5
What happened to you?
                                      ⌢
A5       G5 A5             A5    E5    C5
What happened to you?
```

Guitar solo

```
                         x4
‖: A5    E5   | C5    A5 G5 A5 :‖
```

Outro

```
A5              E5      C5    A5  G5 A5
The things we do to the people that we love
             E5      C5    A5  G5 A5
The things we do to the people that we love
             E5      C5    A5  G5 A5
The things we do to the people that we love.
             E5      C5    A5  G5 A5
The things we do to the people that we...
```

```
                      ⌢
| A5    E5   | C5    ‖
...that we love.
```

SALT SWEAT SUGAR

WORDS & MUSIC BY JAMES ADKINS, THOMAS D. LINTON, RICHARD BURCH & ZACHARY LIND

F#5 **D5** **A5** **B5**

fr4   o o o x x x   fr7   x   x x

Tune guitar
⑥ = D   ③ = G
⑤ = A   ②= B
④ = D   ① = E

Intro

| F#5 | F#5 | D5 | D5 | |

| F#5 | F#5 | A5 | D5 B5 ‖

Verse 1

> **F#5**
> I'm not alone
>
> **D5** **B5**
> 'Cause the TV's on, yeah
> **F#5**
> I'm not crazy
>
> **D5** **B5**
> 'Cause I take the right pills,   everyday
> **F#5**
> And rest
>
> Clean your conscious
>
> Clear your thoughts
> **D5**
> With speyside
> **B5**   **F#5**
> With your grain
>
> Clean your conscious
>
> Clear your thoughts
> **D5**   **B5**
> With speyside.

Chorus 1

F♯5
Salt, sweat

Sugar on the asphalt
D5
   Our hearts littering the topsoil
F♯5
Tune in

And we can get the last call
A5   **D5**   **B5**
   Our lives, our coal.
F♯5
Salt, sweat

Sugar on the asphalt
D5
   Our hearts littering the topsoil
F♯5
Sign up

The picket line

Or the parade
A5   **D5**   **B5**
   Our lives.

Verse 2   As Verse 1

Chorus 2   As Chorus 1

Interlude | **F♯5** | **F♯5** | **D5** | **D5** |

             | **A5** | **A5** | **D5** | **B5**   ‖

Verse 3

F♯5   **D5**
Greed from my arm

Won't they give it
   A5
A rest now?

Give it a rest now
D5   **B5**
Now now now.

Instrumental	F♯5	F♯5	D5	D5	
	A5	A5	D5	B5	
	F♯5	F♯5	D5	D5	
	A5	A5	D5	B5	‖

Chorus 3

F♯5
Salt, sweat

Sugar on the asphalt
D5
   Our hearts littering the topsoil
F♯5
Tune in

And we can get the last call
A5   D5   B5
   Our lives, our coal.
F♯5
Salt, sweat

Sugar on the asphalt
D5
   Our hearts littering the topsoil
F♯5
Sign up

The picket line

Or the parade
A5   D5   B5
   Our lives.

Outro | F♯5   ‖

SCORPIO RISING

WORDS & MUSIC BY RICHARD MAGUIRE, TIMOTHY HOLMES, IAN BUTTON, ANDREW WHISTON & FRANCIS ROSSI

D   F   C   G

fr⁵   fr⁸   fr³   fr¹⁰

Verse 1

```
D                      F
When you kiss the base o' my spine
C            G          D
   Make my body into you shrine
                          F
You give me this feeling deep inside
C            G           D
   One that I can no longer disguise
                          F
While other snakes just shed their skins
C            G             D
   Fucked holes pointing out my sins
                    F         C         G     D
Even though I realise that history's not on my side
                    F         C         G             D
Even though I realise the pioneer skin still curls up in my eyes.
```

Chorus 1

```
D  F         C      G        D   F  |C   G   |
If I don't go crazy, I'll lose my mind  ____
   D      F    C        G          D   F  |C   G   |
I saw a life before me but now I'm blind. __
   D              F          C         G
I wanna go to heaven, never been there before
   D              F          C           G
I wanna go to heaven, so you give me some more.
```

Link 1

```
|D   F   |C   G   |D       |D       ‖
```

Verse 2

```
D                   F
Flying high upon the gallows
C            G            D
Too messed up to step out of the shadows
                           F
A drugged up heart that knows no sorrow
```

<table>
</table>

    cont.

      C   **G**   **D**
Rescued from this deep dark hole

                      F
Stick on these boots and sharpen the nails

C   **G**   **D**
Time is nigh for you leather girls

                F
Maybe we should end this race

C   **G**   **D**
  Vanish while we can and leave no trace.

Chorus 2

D **F**   **C**   **G**   **D** **F** |**C** **G** |
  If I don't go crazy, I'll lose my mind____

D **F** **C**   **G**   **D** **F** |**C** **G** |
I saw a life before me but now I'm blind.__

Middle

      D   **F**
See one-arm film stars on alien beaches

C   **G**
Potted gold and tattoed faces

D   **F**   **C**   **F**
Harrison murals on the corner, tupperware boxes full of hops

    D   **F**
Diazepam dreams there catching streams

      C   **G**
Paper dinosaurs flash blue and green

D   **F** **C**   **G**
Still I've got a flash-bulb head

D   **F** **C**   **G**
Still I've got a flash-bulb head.

Link 2 |**D** |**D** |

Chorus 3

D **F**   **C**   **G**   **D** **F** |**C** **G** |
  If I don't go crazy, I'll lose my mind____

D **F** **C**   **G**   **D** **F** |**C** **G** |
I saw a life before me but now I'm blind.__

  D   **F**   **C**   **G**
I wanna go to heaven, never been there before

  D   **F**   **C**   **G**
I wanna go to heaven, so you give me some more.

Link 2   ‖ D   F   ‖ C   G   ‖ D   ‖ D   ‖

‖: D   F   ‖ C   G   :‖

Outro

      D   F
‖: Come along nice, come along dead

C   G
Scorpio rising, and paint it red

   D   F   C   G
A psychic equalizer in your head.

D   F
Come along nice, come along dead

C   G
Scorpio rising, and paint it red

   D   F   C   G
A psychic equalizer in your head   :‖

   D   F   C   G
A psychic equalizer in your head. ____

   ‖ D   ‖ D̂   ‖

SHUT YOUR MOUTH

WORDS & MUSIC BY DUKE ERIKSEN, SHIRLEY MANSON, STEVE MAKER & BUTCH VIG

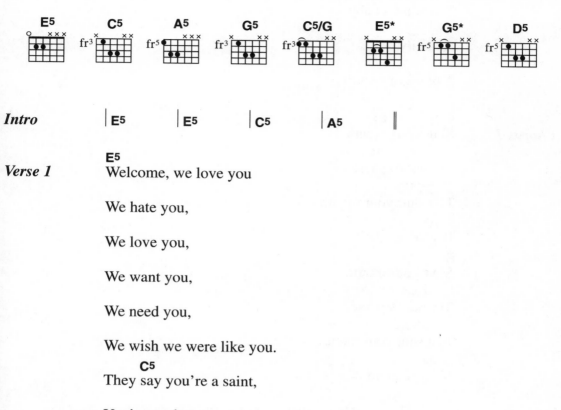

Intro | E5 | E5 | C5 | A5 ‖

Verse 1
E5
Welcome, we love you

We hate you,

We love you,

We want you,

We need you,

We wish we were like you.
C5
They say you're a saint,

You're a whore,

You're a sinner,
A5
That he had you,

Made you,

Can't live without you.

Verse 2
E5
Would you confess if we asked

That you nurture the urge

To declare that it's time
C5
To settle down

cont.   With a man of your own

              A5
        You want a baby,

        A family,

        A piece of security.

             E5
Chorus 1   Shut your mouth

             G5
        Try not to panic

           C5/G
        Just shut your mouth

         A5
        If you can do it.

        E5
        Shut your mouth

             G5
        Try not to panic

           C5/G
        Just shut your mouth

          A5
        If you can do it

                | **E5***   **G5*** | **C5 D5 C5** | **E5* G5*** | **C5 D5 C5** ‖
        Just shut your mouth.

        | **E5***   ‖

        E5
Verse 3   What's your opinion of the dire situation?

        In our land here,

        Our guest here,

        Of course you'll be nice here.

        C5
        How do you feel about God and religion?

            A5
        Are you good people?

        Bad people?

        Guess it doesn't matter people.

Verse 4

E5
Your place

My place

Make her bring that famous face

You got some,

You want some,

You wanna let me get you some?
C5
We know your music but of course we'd never buy it
          A5
It's too fake man

Right man!

(We don't give a fucking damn.)

Chorus 2

            E5
Shut your mouth
                G5
Try not to panic
        C5/G
Just shut your mouth
      A5
If you can do it.
E5
Shut your mouth
        G5
Try not to panic
          C5/G
Just shut your mouth
      A5
If you can do it.

                |E5*   G5 |C5 D5 C5│E5* G5 |C5 D5 C5‖
Just shut your mouth

|E5*   ‖

Bridge

I hear you say it
    E5*
Play it smart girl
    G5*
Win the game love
    C5
Give 'em what they want
    D5   **C5**   **E5***
What they want to see and you could be a big star
    G5*
You could go far
    C5
Make a landmark
D5   **C5**   **E5***
What do you believe in you smart girl?
    G5*
Win the game love
    C5
Give 'em what they want
    D5   **C5**   **E5***
What they want to see and you could be a big star
    G5*
You could go far
   C5
Make a landmark
    D5 **C5**   **E5***
Make a shit load.

Drum break |(E5*) |E5 |E5 |E5 |

                  N.C. (E5)
Verse 5   And the world spins by

With everybody moaning

Pissing, bitching and everyone is shitting

On their friends,

On their love,

On their oaths,

On their honour,

cont.   On their graves

Out their mouths

And their words say nothing.

Chorus 3

                E5
Shut your mouth
        G5
Try not to panic
         C5/G
Just shut your mouth
      A5
If you can do it.
E5
Shut your mouth
      G5
Try not to panic
       C5/G
Just shut your mouth
      A5
If you can do it.

Outro

             C5
Just shut your mouth
        A5
I waited to say something
         C5
Oh shut your mouth
        A5
I wanted to say something
         C5
Just shut your mouth
        A5
I waited to say something
         C5
Oh shut your mouth
        A5
I wanted to be something
         E5*
Oh shut your mouth.

SHE LOVES ME NOT

WORDS & MUSIC BY PAPA ROACH

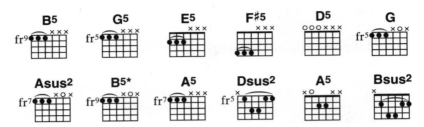

Tune guitar (drop D tuning down a tone)

⑥ = C   ③ = F
⑤ = G   ② = A
④ = C   ① = D

Verse 1

A5
When I see her eyes

F5
Look into my eyes

D5
Then I realised that

E5
She could see inside my head

A5
So I close my eyes

F5
Thinking that I could hide

D5   **E5**   **C5**
Disassociate so   I don't have to lose my head

A5   **F5**   **D5**
This situation, leads to agitation

Will she cut me off?

E5
Will this be an amputation?

Pre-chorus 1

A5   **F5**   **D5**
I don't know if I care

            E5
I'm the jerk,

Life's not fair.

Chorus 1

     F   **Gsus2**
    Fighting all the time

                A5*
  This is out of line

  She loves me not, loves me not!
  F   **Gsus2**   **A5***
    Do you realise I won't compromise

  She loves me not, loves me not!

Link

| **F5** | **G5** | |

Verse 2

A5
  Over the past five years
F5
  I have shed my tears
D5   **E5**
  I have drank my beers and watched my fears fly away.
A5
  And until this day
F5
  She still swings my way
D5   **E5**
  But it's sad to say sometimes
            C5
She says she loves me not
A5
  But I hesitate
F5
  To tell her I hate
D5
  This relationship
E5
  I want out today, this is over.

Pre-chorus 2   As Pre-chorus 1

Chorus 2   As Chorus 1

Link 2

A5*   **Csus2   G5   Asus2**
   Life's not fair

        Csus2   G5   Asus2
I'm the jerk!

| **F5** | **G5** |

Verse 3

A5
  Line for line,

Rhyme for rhyme
    F5
Sometimes we be fightin' all the goddam time
D5
   It's makin' me sick
     E5
Relationship is gettin' ill

Piss, drunk, stupid,
A5
Mad

On the real,
         F5
Could you feel what I feel?

What's the deal girl?
        D5
We're tearin' up each other's world

We should be in harmony
E5
  Boy and girl
C5   **A5**
  That is the promise we made

Back in the day
   F5
We told each other things wouldn't be this way
D5
   I think we should work this out
    E5
It's alright baby, we can scream and shout.

Pre-chorus 3 As Pre-chorus 1

Chorus 3 As Chorus 1

        F5   **G5**

Outro   Life's not fair!

                  A5

Life's not fair!

Life's not fair!

        Csus2 **G5** **Asus2**

I'm the jerk

           F5   **D5**

Life's not fair.

| **E5** | **E5** | |

  F5   **G5**

     She loves me not!

         A5

Loves me not!

THERE BY THE GRACE OF GOD

WORDS & MUSIC BY JAMES DEAN BRADFIELD, NICHOLAS JONES & SEAN MOORE

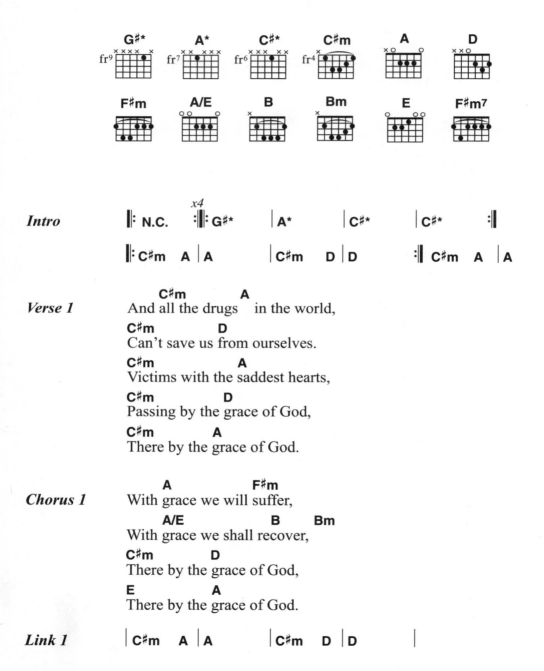

Intro
‖: N.C.   :‖: G#* | A* | C#* | C#*   :‖

‖: C#m A | A | C#m D | D   :‖ C#m A | A |

Verse 1

       C#m   A
And all the drugs   in the world,

  C#m   D
Can't save us from ourselves.

  C#m   A
Victims with the saddest hearts,

  C#m   D
Passing by the grace of God,

  C#m   A
There by the grace of God.

Chorus 1

        A   F#m
With grace we will suffer,

       A/E   B   Bm
With grace we shall recover,

  C#m   D
There by the grace of God,

  E   A
There by the grace of God.

Link 1
| C#m A | A | C#m D | D |

Verse 2

C#m   A
Lay down all your guns,
C#m   D
Give them up and then move on.
    C#m   A
It doesn't mean that you are dead,
C#m   D
Passing by the grace of God,
C#m   A
There by the grace of God.

Chorus 2   As Chorus 1

Chorus 3

     A   F#m
With grace we will suffer,
     A   Bm
With grace we shall recover,
C#m   D
There by the grace of God,
E   A
There by the grace of God,
E   A
There by the grace of God.

Guitar Solo   ‖: C#m   A |A |C#m   D |D   :‖

        |C#m   D |D |

        C#m   D
And all the drugs in the world.

Chorus 4 & 5   As Chorus 1

Link 2 |E   A |A |

Outro

       C#m   F#m7
And all the drugs in the world,
C#m   D
Can't save us from ourselves.
C#m   F#m7
Victims with the saddest hearts,
C#m   D
Passing by the grace of God,
C#m   A
There by the grace of God.

TRIBUTE

WORDS & MUSIC BY JACK BLACK & KYLE GASS

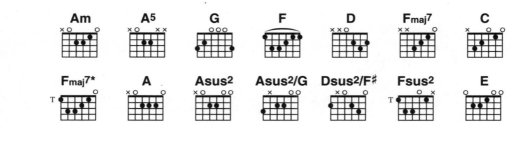

Intro | Am | Am | Am | Am ‖

Am
   This is the greatest and best song in the world . . .

Tribute.

Long time ago me and my brother Kyle here,

We was hitchhikin' down a long and lonesome road.

All of a sudden, there shined a shiny Demon

In the middle . . . of the road.

And he said:
A5
"Play the best song in the world, or I'll eat your soul."

Am
   Well me and Kyle, we looked at each other,

And we each said . . . "Okay."

                     G
And we played the first thing that came to our heads,
F
Just so happened to be,
    Am   **G**
The Best Song in the World,
     F
It was The Best Song in the World.

D   **Fmaj7**
Look into my eyes and it's easy to see

            C   **G**
One and one make two, two and one make three,

        Fmaj7*
It was destiny.

D   **Fmaj7**
Once every hundred-thousand years or so,

            C   **G**
When the sun doth shine and the moon doth glow

        Fmaj7*
And the grass doth grow.

Am
    Needless to say, the beast was stunned.

Whip-crack went his schwumpy tail,

And the beast was done.

He asked us: "Be you angels?"

And we said, "Nay. We are but men."

Rock!

D   **Fmaj7** **C**   **G**
Ahhh, ahhh, ahhh-ah-ah,

Fmaj7*
Ohhh, whoah, ah-whoah-oh!

Am   **G**   **Am**
   This is not The Greatest Song in the World, no.

                 G **Am**
This is just a tribute.

                       G   **Am**
Couldn't remember The Greatest Song in the World, oh no.

                 G **A**   **Asus2**   **Asus2/G**
This is a tribute, oh, oh

                     Dsus2/F#   **Fsus2**
To The Greatest Song in the World,

     Asus2   **Asus2/G**   **Dsus2/F#**   **Fsus2**
All right! It was The Greatest Song in the World,

     Asus2   **Asus2/G**   **Dsus2/F#**   **Fsus**
All right! It was the best muthafuckin' song the greatest song in the worl

Vocal interlude ||: **Asus2**   **Asus2/G** | **Dsus2/F♯**   **Fsus2**   *x4* :||
+ Guitar solo

Asus2   **Asus2/G**
And the peculiar thing is this my friends,

     Dsus2/F♯   **Fsus2**
The song we sang on that fateful night it

       Asus2   **Asus2/G**   **Dsus2/F♯**
Didn't actually sound anything like this song.

Fsus2   **Asus2**
This is just a tribute!

      Asus2/G   **Dsus2/F♯**
You gotta believe me!

       Fsus2   **Asus2**
And I wish you were there!

       Asus2/G   **Dsus2/F♯**
Just a matter of opinion

Fsus2   **Asus2**   **Asus2/G**
  Ah, fuck!   Good God, God lovin',

       Dsus2/F♯   **Fsus2**
Are you so surprised to find you can't stop it.

Outro | **Asus2** **Asus2/G** | **Dsus2/F♯** **Fsus2** |

        | **E** | **Fmaj7***| **E** | **Fmaj7*** |
                      All right! All right!

        | **E** | **Fmaj7*** | **Fmaj7*** | **Fmaj7*** | **Fmaj7*** | **Fmaj7*** ||

21st CENTURY RIP OFF

WORDS & MUSIC BY KARL GUSTAFFSON

Asus4   A   G   D   A*   D/A

G*   D6/A   A**   E   E*   G**

Intro

‖ Asus4 A G D | Asus4 A G D | Asus4 A G D | G   D ‖

| A* D/A A* G* D6/A | A* D/A A* G* D6/A‖

Verse 1

(A) Asus4   A   G   D
I've been cheated by everyone

(A) Asus4   A   G   D
I've been cheatin' myself

(A) Asus4   A   G   D
I've been cheated by everyone

     G   D
And everyone's been cheated by me.

Interlude 1 | A* D/A A* G* D6/A | A* D/A A* G* D6/A ‖

Verse 2

(A) Asus4   A   G   D
I've been cheated by things I've done

(A)   Asus4   A   G   D
And I've been cheated by friends

Asus4   A   G   D
I've been cheated to put you on

     G   D
And it looks like it will never end.

Interlude 2 | A* D/A A* G* D6/A | A* D/A A* G* D6/A ‖

Chorus 1

     G*   D/A   G*   D/A   A**   E
Well everyone's been cheated by everyone

     G*   D/A   G*   D/A   A**   E
Yeah, everyone's been cheated by everyone

     G*   D/A   G*   D/A   A**   E   A*
Yeah,   everyone's been cheated for the Twenty - first century.

Interlude 3 | A* D/A A* G* D6/A | A* D/A A* G* D6/A ||

Verse 3

    (A) **Asus⁴**   **A**   **G**   **D**
    I've been cheated by things I've seen
(A)   **Asus⁴** **A**   **G**   **D**
And all I've learned in school
(A) **Asus⁴**   **A**   **G** **D**
    I've been cheated by TV screens
      G **D**   **(A)**
And artificial families too.

Link | **Asus⁴ A G D** |

Verse 4

    (A) **Asus⁴**   **A**   **G**   **D**
So teach me how to get even
(A)   **Asus⁴ A**   **G**   **D**
And take a chance with me
(A)   **Asus⁴ A**   **G**   **D**
Well I could make you the biggest fool
      G   **D**   **(A)**
Could even make you bigger than me.

Link 1 | **Asus⁴ A G D** |

Chorus 2

      G*   **D/A**   **G***   **D/A** **A**** **E**
Well everyone's been cheated by everyone
      G*   **D/A**   **G***   **D/A** **A**** **E**
Yeah, everyone's been cheated by everyone
       G*   **D/A**   **G***   **D/A**   **A****   **E**   **A***
Yeah, everyone's been cheated for the Twenty - first century.

Bridge

E*
Some people think that they're gaining control
G**   **A**
Oh! Isn't it fun just to watch them fall
     E*
If they screwed you once they will do it again
      G**   **D**
So hurry up before you wind up on a losin' end
       (A*)
And come on.

Guitar solo | A* D/A A* G* D6/A | A* D/A A* G* D6/A | A* D/A A* G* D6/A | G* D/A ||

Verse 5

  (A) Asus4 A   G D
    I've been cheated so many times

  (A) Asus4 A   G   D
  But I'm as good as can be

  (A) Asus4 A   G D
    So let me drop you another lie

        G D
  And show you to my company.

Link 3 | **Asus4 A G D** |

Verse 6

  (A) Asus4 A G   D
  Well, did I say that I liked you?

  (A) Asus4 A   G   D
  Should I remember your name?

  (A) Asus4 A   G   D
  Well you can do what you wanna do

        G D   (A)
  'Cause you're all a big part of a frame.

Link 4 | **Asus4 A G D** |

Chorus 3

     G* D/A   G* D/A A** E
  Well everyone's been cheated by everyone

     G* D/A   G* D/A A** E
  Yeah, everyone's been cheated by everyone

      G* D/A   G* D/A   A**   E   A*
  Yeah, everyone's been cheated for the Twenty - first century.

Chorus 4

     G* D/A   G* D/A A** E
  Well everyone's been cheated by everyone

      G* D/A   G* D/A A** E
  Yeah, everyone's been cheated by everyone

      G* D/A   G* D/A   A**   E   A*
  Yeah, everyone's been cheated for the Twenty - first century.

Outro   ‖: **A* D/A A* G* D6/A** :‖ *Repeat to fade*

UNTUTORED YOUTH

WORDS & MUSIC BY RANDY FITZSIMMONS

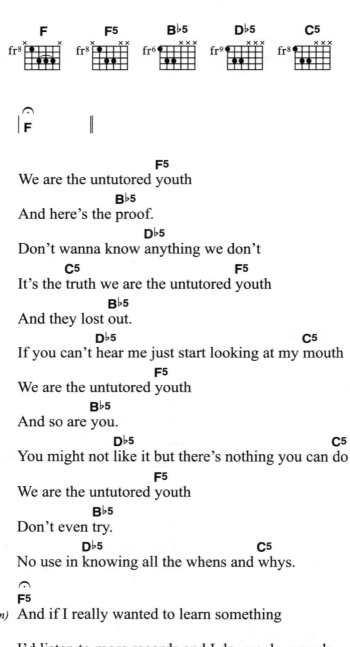

Intro | F ‖

Chorus 1

                               F5
We are the untutored youth

               B♭5
And here's the proof.

                      D♭5
Don't wanna know anything we don't

       C5   **F5**
It's the truth we are the untutored youth

               B♭5
And they lost out.

              D♭5   **C5**
If you can't hear me just start looking at my mouth

                      F5
We are the untutored youth

               B♭5
And so are you.

                  D♭5   **C5**
You might not like it but there's nothing you can do

                      F5
We are the untutored youth

                B♭5
Don't even try.

              D♭5   **C5**
No use in knowing all the whens and whys.

F5

Verse 1 *(spoken)* And if I really wanted to learn something

I'd listen to more records and I do, we do, you do,

                    N.C.
So come on!

Chorus 2

                                    F5
We are the untutored youth

               B♭5
And that's the truth

          D♭5   **C5**
When it feels like all you ever do is lose

                       F5
We are the untutored youth

               B♭5
Here is the catch.

                 D♭5   **C5**
There's no-where you're gonna be a perfect match

                       F5
We are the untutored youth

               B♭5
We won't fit in.

          D♭5   **C5**
But there's no way in hell you're gonna win

                       F5
We are the untutored youth

               B♭5
Yes that's it.

                 D♭5   **C5**
Not even gloves come with a perfect fit.

          ⌢
          F5

Verse 2 *(spoken)* And when people tell me what is OK, and what is not

It should not be an unexpected scene seeing I extend my middle right

hand digit and say:

"Would you like lemon and lime with that piece of advice, Mister?"

Come on!

Chorus 3

                       F5
We are the untutored youth

               B♭5
And here's the proof.

                    D♭5
Don't wanna know anything we don't and

          C5   **F5**
It's the truth we are the untutored youth

               B♭5
And they lost out.

cont.

D♭5   **C5**
If you can't hear me just start looking at my mouth

                  F5
We are the untutored youth

       B♭5
And so are you.

               D♭5   **C5**
You might not like it but there's nothing you can do

                  F5
We are the untutored youth

       B♭5
Don't even try.

       D♭5   **C5**
No use in knowing all the whens and whys

We are the untutored youth.

Outro

   F5
‖: Youth (youth),

B♭5
Youth (youth),

D♭5
Youth (youth),

C5   *x4*
Youth (youth). :‖

F5
Youth.

WASTED AND READY

WORDS & MUSIC BY BENJAMIN KWELLER

E8   Emaj7   Adim   A5   F#5   B5

A5*   B5*   E5   G5   C5   D5   Bb5

Intro ‖: E8   Emaj7 | Adim   A5 :‖ *x4*

Verse 1

E8   Emaj7   Adim A5
Force field super shield A   A.

E8   Emaj7   Adim A5
Junior High love affair is O.   K.

E8   Emaj7   Adim A5
Jump on the big wagon 'cause I'm so   Cal.

     F#5   A5   B5
I'm big in every way.

     A5   A5*   B5*
I'm running as fast as I can.

Chorus 1

E5   B5*   A5*   B5*
She goes above and beyond her call of duty.

E5   B5*   A5*   B5*
She is a slut but X thinks it's sexy.

E5   B5*   A5*   B5*
Sex reminds her of eating spaghetti.

E5   B5*   A5*   B5*
I am wasted but I'm ready.

Interlude ‖: E5   B5* | A5*   B5* :‖

Verse 2

     E8   Emaj7
   If you wanna move it so,

Adim   A5
Why don't you make it go.

E8   Emaj7   Adim   A5
Prove to everybody who doesn't understand.

cont.

E8   Emaj7   Adim
All the nights, all the fights.

        A5
You are out of sight.

F#5   A5   B5
Some say more with their hand.

     A5   A5*   B5*
I'm running as fast as I can.

Chorus 2

E5   B5*   A5*   B5*
She goes above and beyond her call of duty.

E5   B5*   A5*   B5*
She is a slut but X thinks it's sexy.

E5   B5*   A5*   B5*
Sex reminds her of eating spaghetti.

E5 B5* A5*   B5*
I am wasted but I'm ready.

E5 B5* A5*   B5*
I am wasted but I'm ready.

E5 B5* A5*   B5*
I am wasted but I'm ready.

Bridge 1

G5   A5*   E5 B5*
Running as fast as I can.

C5   D5
I'm running as fast as I (run!)

Guitar Solo

                             x4
‖: E5 | A5* G5 A5* G5 Bb5 A5* :‖
run!

Interlude

                            x2
‖: E8   Emaj7 | Adim A5   :‖

Verse 3

E8   Emaj7 Adim   A5
Why am I dealing with this feeling?

E8   Emaj7 Adim   A5
I'm maxxed out like a   credit card.

E8   Emaj7   Adim   A5
  I'll continue to be   my worst enemy.

     F#5   A5   B5
It's easy but it   seems so hard.

      A5   A5*   B5*
You're near but you seem so far. _____

Chorus 3

E5   B5*   A5*   B5*
She goes above and beyond her call of duty.

E5   B5*   A5*   B5*
She is a slut but X thinks it's sexy.

E5   B5*   A5*   B5*
Sex reminds her of eating spaghetti.

E5 B5* A5*   B5*
I am wasted but I'm ready.

Chorus 4

E5   B5*   A5*   B5*
She goes above and beyond her call of duty.

E5   B5*   A5*   B5*
She is a slut but X thinks it's sexy.

E5   B5*   A5*   B5*
Sex reminds her of eating spaghetti.

E5 B5* A5*   B5*
I am wasted but I'm ready.

E5 B5* A5*   B5*
I am wasted but I'm ready.

E5 B5* A5*   B5*
I am wasted but I'm ready.

E5 B5* A5*   B5*
I am wasted but I'm ready.

E5   B5* A5*   B5*
I_____ yeah, yeah, yeah

Outro

G5   A5*   E5   B5*
Running as fast as I can.

    C5   D5   E5   F♯5*   E5
I'm running as fast as I can,

G5   A5*   E5   B5*
Running as fast as I can.

    C5   D5   E5
I'm running as fast___ as I can.

WHEREVER YOU WILL GO

WORDS & MUSIC BY ARRON KAMIN & ALEX BAND

C **Gsus4** **Am7** **Fsus2** **Fsus2/G** **G6** **Em**

Capo second fret

Intro | C | Gsus4 | Am7 | Fsus2 Fsus2/G ||

Verse 1

   C   **Gsus4**
   So lately, I've been wonderin'

Am7   **Fsus2**   **Fsus2/G** **C**
   Who will be there to take my   place

         Gsus4
When I'm gone,   you'll need love

Am7   **Fsus2**   **Fsus2/G** **C**
   To light the shadows on your   face

    Gsus4   **Am7**
If a great wave shall fall

    Fsus2 **Fsus2/G** **C**
It'll fall upon us   all

    Gsus4   **Am7**
And between the sand and stone

     Fsus2 **Fsus2/G** **C**
Could you make it on your own.

Chorus 1

   C   **Gsus4**
   If I could, then I would

Am7   **Fsus2**   **C**
   I'll go wherever you will go

        Gsus4
Way up high or down low

Am7   **Fsus2**   **(C)**
   I'll go wherever you will go.

Verse 2

   C   **Gsus4**
   And maybe, I'll find out

Am7   **Fsus2**   **Fsus2/G** **C**
   A way to make it back   some day

cont.

Gsus4
To watch you, to guide you

Am7   Fsus2 Fsus2/G C
 Through the darkest of your   days

 Gsus4   Am7
If a great wave shall fall

   Fsus2 Fsus2/G C
It'll fall upon us all

  Gsus4   Am7
Well I hope there's someone out there

    Fsus2 Fsus2/G C
Who can bring me back to you.

Chorus 2 As Chorus 1

Fsus2   G6
Bridge Run away with my heart

Em   Am7
Run away with my hope

Fsus2   G6 Em
Run away with my love.

   C   Gsus4
Verse 3 I know now, just quite how

Am7   Fsus2   Fsus2/G   C
 My life and love might still go on

      Gsus4
In your heart, in your mind

Am7   Fsus2
 I'll stay with you for all of time.

Chorus 3 As Chorus 1

   C   Gsus4
Chorus 4 If I could turn back time

Am7   Fsus2
 I'll go wherever you will go

   C   Gsus4
If I could make you mine

Am7   Fsus2
 I'll go wherever you will (go).

Outro ‖: C | Gsus4 | Am7 | Fsus2 :‖
     go.

Relative Tuning

The guitar can be tuned with the aid of pitch pipes or dedicated electronic guitar tuners which are available through your local music dealer. If you do not have a tuning device, you can use relative tuning. Estimate the pitch of the 6th string as near as possible to E or at least a comfortable pitch (not too high, as you might break other strings in tuning up). Then, while checking the various positions on the diagram, place a finger from your left hand on the:

5th fret of the E or 6th string and **tune the open A** (or 5th string) to the note (A)

5th fret of the A or 5th string and **tune the open D** (or 4th string) to the note (D)

5th fret of the D or 4th string and **tune the open G** (or 3rd string) to the note (G)

4th fret of the G or 3rd string and **tune the open B** (or 2nd string) to the note (B)

5th fret of the B or 2nd string and **tune the open E** (or 1st string) to the note (E)

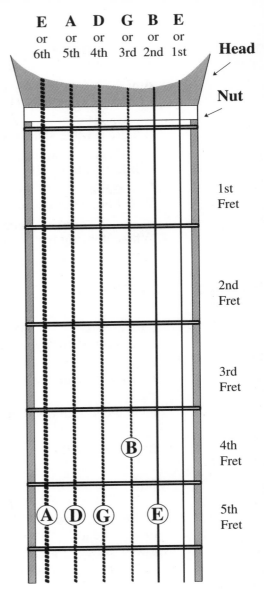

Reading Chord Boxes

Chord boxes are diagrams of the guitar neck viewed head upwards, face on as illustrated. The top horizontal line is the nut, unless a higher fret number is indicated, the others are the frets.

The vertical lines are the strings, starting from E (or 6th) on the left to E (or 1st) on the right.

The black dots indicate where to place your fingers.

Strings marked with an O are played open, not fretted. Strings marked with an X should not be played.

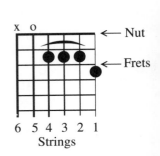

The curved bracket indicates a 'barre' – hold down the strings under the bracket with your first finger, using your other fingers to fret the remaining notes.